Gabriela Eibich

Rotier dich frei

edition winterwork

Bibliografische Informationen der Deutschen Nationalbibliothek:
Die Deutsche Nationalbibliothek verzeichnet diese Publikation in der Deutschen Nationalbibliografie. Detaillierte bibliografische Daten im Internet über http://www.d-nb.de abrufbar.

Impressum

Gabriela Eibich, »Rotier dich frei«
www.edition-winterwork.de

2. Auflage

Layout: Das Werbebüro, www.das-werbebuero.com
Fotografie: Sabine Walczuch, www.swphotoart.com
Illustrationen: Josephine Strauß, Instagram @dustygums
Umschlag: Das Werbebüro, www.das-werbebuero.com
Druck und Bindung: winterwork Borsdorf

ISBN 978-3-98913-056-2

Rotier dich frei

Gabriela Eibich

edition winterwork

DANKSAGUNG

All den wunderbaren Menschen, die mich auf diesem langen Weg begleitet, die an vielen Seminaren teilgenommen und all die Fragen gestellt haben, durch die ich meine Arbeit immer weiter entwickeln konnte, sei an dieser Stelle schon einmal von ganzem Herzen gedankt. Vielen Dank sage ich auch meinen Kindern Jooris und Zoë, die von Beginn ihres Lebens an mit mir rotiert haben und auf mich aufgrund meiner Arbeit oftmals verzichten mussten. Natürlich bedanke ich mich bei meinen Eltern und ihrer Liebe, ohne die diese Arbeit gar nicht entstanden wäre. Des Weiteren allerherzlichsten Dank Euch, liebe Nina und liebe Birgit, für Euer stetes Feedback. Auch sei all denen gedankt, die dieses Buch durch ihre kreative Arbeit vollendet haben: Sabine Walczuch für die fröhliche Fotosession, Josephine Strauß für den feinen Pinselstrich ihrer Illustrationen, der kreativen Arbeit „Das Werbebüro", allen voran Eberhard Haenicke für das Layout, den Satz und die Covergestaltung, in memoriam Dr. Patrick Auth für die wissenschaftliche Überprüfung und Dr. med. Annette Winkelmann für die Weiterführung dessen und meinem Lektor Hilmar Schulz für die professionelle Begleitung und der Achtsamkeit mir und meinem Sprachstil gegenüber.
Danke.

Voller Liebe, Leidenschaft und mit ganzem Engagement möchte ich mich für die Lebendigkeit und einen bewussten Umgang mit unserer Gesundheit durch Embodiment einsetzen. Sehen Sie dieses Buch als meinen Beitrag im Sinne einer in mir lang gereiften Herzensangelegenheit und Faszien-Rotation als eine Methode, die mit mir im Wandel ist.

Jetzt wünsche ich Ihnen von Herzen ein spannendes – zukünftig vielleicht auch gemeinsames – Rotieren.

* *Wenn ich hier von Faszien-Rotation spreche, so meine ich immer Faszien-Rotation nach Eibich.*

Inhalt

EINLEITUNG

Unser Umgang mit dem menschlichen Körper erlebt gerade einen Wandel. Bislang haben ihn Generationen von Therapeut:innen und Trainer:innen vorwiegend mechanisch gesehen, behandelt und geschult. Doch allmählich hat sich auch deren Blick auf die Anatomie und auf die hochkomplexen Bewegungszusammenhänge des Körpers geändert. Es geht endlich nicht mehr nur um ein Höher, ein Schneller und ein Stärker, sondern um unsere ganze Lebendigkeit – und um unser Wohlbefinden insgesamt.

Dreh- und Angelpunkt der Wende zu diesem neuen Körperverständnis sind die Faszien. Dieses Bindegewebssystem im menschlichen Körper ist beileibe nichts Neues. Doch in den letzten Jahren wurden die Faszien neu entdeckt. Wir wissen heute: Es ist dieses besondere und allumspannende Körpergewebe, das über Bewegung, über Gestalt und Form, über das Wachsen entscheidet und maßgeblich unser Wohlbefinden beeinflusst. Dieses besondere Bindegewebe durchzieht unseren gesamten Körper, vom Scheitel bis zur Sohle, vertikal, horizontal, diagonal. Faszien umhüllen unsere Muskelfasern, sämtliche Organe und alle anderen Strukturen in unserem Körper. Durch sie erkennen wir jetzt neue Zusammenhänge und gewinnen einen ganzheitlichen Blick auf den menschlichen Körper.

In diesem Buch schreibe ich über meine Faszination für Faszien – und deren Eigenschaften und Fähigkeiten, mit denen ich mich nun seit vielen Jahren beschäftige. Als ich mich Anfang der 1990er Jahre zur Integrativen Tanzpädagogin (DIT) ausbilden ließ, war ich dafür bekannt, impulsiv, wild und frei zu tanzen. Kontakt-Improvisation, New Dance, Post Modern, 5 Rhythmen, BMC, Yoga, Aquatische Körperarbeit und alle möglichen ganzheitlichen Wahrnehmungsmethoden und systemischen Ansätze faszinierten mich. Dabei konnte ich mich austoben, mich spüren und reiben – und ausprobieren, wo und wer ich bin. Damals hat mein Ausbilder mir allerdings immer wieder ans Herz gelegt, mit mehr Struktur zu arbeiten – was mir zunächst nicht leicht fiel. Denn zu dieser Zeit tanzten meine Beine und mein Oberkörper tanzte eben auch – doch unverbunden, nicht integriert. Es war, als führte jede der beiden Körperhälften ein Eigenleben. Es sah zwar ganz passabel aus, doch kostete es mich große Anstrengung; das kann ich aus heutiger Sicht erkennen. Denn je mehr ich mich eingelassen hatte auf die inneren zusammenhängenden Strukturen, desto leichter und graziler bewegte ich mich. Irgendwann fühlte es sich an, als ob meine Füße nicht mehr im Becken endeten und den Abschluss meiner Beine bildeten, sondern als zögen sie durch das Becken weit darüber hinaus – durch den Oberkörper, die Arme, den Schädel. Heute weiß ich von den myofaszialen Kraftlinien, die ich immer bewusster erlebe. Die immer differenzierter ausgeführte strukturelle Körperarbeit hat mich bereichert und mir eine vollständig neue Welt erschlossen.

Schon früh habe ich viel unterrichtet und bin mit meinen Gruppen weit in das experimentelle Sich-Bewegen vorgedrungen. Es war eine gemeinsame Reise, dessen Credo bis heute für mich lautet: Wir co-kreieren. Ich habe in vielen Ländern mit ganz unterschiedlichen Menschen und ihren Kulturen gearbeitet, mit Bewegung und mit dem psycho-emotionalen Erleben. Dadurch wurde mir klar, dass wir ganz unterschiedliche „Körper-Landkarten" in uns tragen. Auch der Umgang mit Bewegung und Berührung ist nicht nur individuell, sondern auch kulturell beeinflusst. Das wird auf faszialer Ebene sichtbar. Hinzu kommt der systemische Blick und die Frage nach den Ursprüngen:

Wo und wann bin ich stabil und flexibel zugleich?
Wo ist meine Achse und was bedeutet es, in Balance zu kommen?
Wie kann ich mich weiter in mir ausdehnen und Raum in mir schaffen?
Wohin richte ich mich aus – immer wieder? Innen wie außen

Bei meiner Arbeit mit den Faszien konnte ich eine neue, bewegungszentrierte und dynamische Körperarbeit entwickeln, die dabei hilft, alte neuro-muskuläre Muster zu lösen und alternative Ausrichtungsimpulse anzubieten: die Faszien-Rotation. Das Besondere: Faszien-Rotation ist eine hochwirksame Bewegungsmethode, die jeder erlernen und überall einsetzen kann.

Unser Leben ist ein dynamischer Prozess. Es ist wichtig, flexibel agieren zu können, ohne die eigene Stabilität zu verlieren. Wo es im Grunde genommen um Stabilität geht, ist jedoch meistens von Haltung die Rede gewesen – und von Fehlhaltung oder Haltungsschäden, unter denen viele Menschen leiden. Bei Faszien-Rotation geht es nicht um Haltung, sondern um ein inneres Sich-Ausdehnen. Eines der zentralen Anliegen von Faszien-Rotation ist es, die Aufrichtung des Körpers in ihrer ganzen Komplexität zu verstehen und gegebenenfalls mit Hilfe dieser ganzheitlichen, prozessorientierten Körperarbeit zu verbessern. Wir lernen, uns durch Spannkraft, durch Längen und durch Rotationen entlang unserer Kraftlinien auszurichten. Dabei nutzen wir den äußeren Raum, in den wir uns ausdehnen und so unserer Achse die wahre Stabilität verleihen. Mit Faszien-Rotation lernen wir aktiv, uns aus Verspannungen, aus Enge und Festhalten hin zu neuer Ausrichtung zu bewegen. Wir erfahren Raum, Weite, Beweglichkeit und Elastizität auf allen Ebenen. Unser Körper wird immer mehr zum Resonanzkörper.

Gesunde Faszien sind Grundlage von Stabilität, Kraft sowie Flexibilität und erhöhen unsere Aktions- und Handlungsbereitschaft. Um unsere Gesundheit zu unterstützen und etwas verändern zu können, müssen wir uns also zunächst eingehend mit uns und unserem Körper beschäftigen. Denn wie und wohin wir uns ausrichten, hängt eng mit unserer inneren Welt zusammen. Bei der Faszien-Rotation geht es nicht darum, über bestehende Denk-, Verhaltens-, Gefühls-, Bewegungs- oder Körpermuster einfach neue Strategien zu legen. Denn die blieben ohnehin wirkungslos, wenn sich die zelluläre Struktur nicht umgestaltet. Faszien-Rotation setzt hingegen neuro-muskuläre Impulse. Diese wirken als ganzkörperliche und sensorielle Interventionen. Sie lösen alte Muster und bieten neue Informationen an. Auf Faszien-Ebene gegebene Impulse greifen tief.
Und es geht um mehr: Faszien sind auch bewegliche Verbindungen, die Brücken zwischen

Körper und Geist, Kognition und Emotion bilden. Unsere sensorischen Erfahrungen bauen die neuronalen Netzwerke auf, die zu komplexen Mustern führen. Das bedeutet, dass unsere Erfahrungen für diese Muster verantwortlich sind und auch darüber entscheiden, ob und wie wir sie nutzen. Ein verändertes Körperbild unterstützt also umgekehrt auch emotionale Veränderungsprozesse. Es ist ein Prozess des Gewahrwerdens, durch den wir rotieren können, um aus Haltungsschäden zu einer lebendigen und gesunden Ausrichtung zu gelangen – äußerlich wie innerlich. Wir werden fähig, uns dem konstanten Fließen um uns herum zu öffnen und lernen, kreativ mit uns selbst und unserer Umwelt umzugehen.

Nicht durch Denken und Analysieren entsteht dabei unser Körperwissen, sondern durch Spüren und Erleben. Objekte zerren von außen, Gefühle von innen, Zugkräfte aus beiden Richtungen erhöhen die Spannungen. Sogar jeder vom Gefühl getragene Gedanke hat eine Veränderung der Faszien-Spannung zur Folge. Faszien definieren die Weite und die Qualität all unserer Handlungsmöglichkeiten.

Das Leben ist im Fluss. Wir bewegen uns in immer neuen Erfahrungen und Möglichkeiten. Doch kontinuierliche Veränderung ist nicht immer bequem. Sie kann auch verunsichern. Viele Menschen suchen deshalb Stabilität im Festhalten und in scheinbaren Sicherheiten. Doch wenn wir versuchen, uns gegen den Fluss des Lebens zu sperren und die Schwerkraft bekämpfen, statt uns mit ihr zu bewegen, treten Schmerzen auf. Seltsamerweise können selbst Leiden und Schmerzen zur Gewohnheit werden, wenn sie lange genug andauern. Auf der einen Seite geben Gewohnheiten Sicherheit und Orientierung, während andererseits das energetische Korsett immer enger, die Atmung darin immer flacher wird.

Veränderung und Heil-Werden bedeutet Ganz-Werden, alle Anteile in uns liebevoll anzunehmen, um sie integrieren zu können und alte und hemmende Muster zu transformieren. Kommen wir mit unseren Fähigkeiten, Ressourcen und Kräften in Kontakt, können wir angemessen handeln.

Das Buch, das Sie gerade in Ihren Händen halten, ist mein leidenschaftliches Plädoyer für unser Mensch-Sein und unser vielfältiges Potential. Es geht darum, sinnliche Wahrnehmung, Kommunikation und gelebte Verhaltensmuster in den Blick zu nehmen, um unsere Muster und Strukturen zu erkennen. Erst indem wir uns unserer Muster gewahr werden, können neue Wahl- und Lösungsmöglichkeiten im Umgang mit uns selbst und anderen entstehen. Es ist unser eigener Entscheidungsfreiraum, zwischen verschiedenen Antwort-Möglichkeiten (auch unseres Körpers) wählen zu können. Das befähigt uns, unser Leben einzigartig zu gestalten.

Im ersten Kapitel erläutere ich, was Faszien-Rotation ist, ihre Ziele und die grundlegenden Prinzipien dieser Arbeit. In dem umfangreicheren zweiten Kapitel „Vertiefung" möchte ich Sie einladen, in die Welt der Faszien einzutauchen, um den Blick für eine differenzierte Wahrnehmung des Körpers und seiner vielfältigen Bewegungsmodi zu öffnen. Es ist bei der eigenen Körperarbeit hilfreich, die menschliche Anatomie und deren Grundlagen zu kennen. Ich verspreche spannende Einblicke und verblüffende Zusammenhänge. Sie werden überrascht sein, wie weit der Einfluss der Schwerkraft reicht und wie Worte und Gedanken nicht nur auf unsere Psyche wirken, sondern unseren gesamten Körper beeinflussen können. Wer sich jedoch unverzüglich an die praktischen Übungen machen will, kann ohne weiteres zum vierten Teil „Weite und Länge statt Enge" springen und beginnen. Hier finden Sie 40 Übungen – oder besser Bewegungssequenzen. Jede hat eine andere Intention, alle gemeinsam dienen sie dem gesamten Organismus.

Die Beschreibungen der Bewegungsabläufe sind einfach, klar – und durch meine langjährige Erfahrung als Bewegungspädagogin erprobt. Damit Sie sie auch eigenständig ohne Anleitung durchführen können, habe ich einige Illustrationen und Fotos beigefügt, Momentaufnahmen aus einer Sequenz. Da die einzelnen Bewegungssequenzen zum Teil sehr komplex sind, arbeiten wir zunächst in vereinfachter Form, später setzen wir die einzelnen Elemente zusammen und korrigieren im weiteren Verlauf immer subtiler. Je öfter wir üben und je weiter wir voranschreiten, desto intensiver entwickelt unser Körper ein Gefühl für die neue Ausrichtung.

„Andere zu kennen, zeugt von Intelligenz;
sich selbst zu kennen, zeugt von wahrer Weisheit." (Laotse)

UNSERE VITALITÄT

Das Wesen von Energie ist ihr freies Fließen – diese Idee begleitet mich in meiner gesamten Arbeit mit Menschen und ist die Basis von Faszien-Rotation. Der Grundgedanke: Jegliche Form von Energie hat eine Wirkung – auf unseren Geist, auf unsere Seele und auf unseren Körper. Auch für unsere Gesundheit hat es Konsequenzen, ob unser Inneres fließt oder ins Stocken geraten ist. Es zeigt beispielsweise, ob unsere Antwortmuster auf unsere Lebensumstände starr oder vielfältig sind, ob wir uns eng, verspannt und vorsichtig bewegen oder ausgedehnt, entspannt und vertrauensvoll. Unsere Vitalität spiegelt so die Bewegungsenergie.

Alles wirkt sich ganzheitlich aus. Nichts hat eine Wirkung nur auf sich selbst. Wir sind keine gefrorene, anatomische Anordnung, wir bestehen nicht aus zusammenhanglosen Einzelteilen. Unser Organismus ist reich an Energie und Weisheit: Alles fließt und erneuert sich kontinuierlich. Durch und durch sind alle Elemente miteinander verbunden – im Großen wie im Kleinen. Unser Körper ist das unmittelbare System, in dem wir auf allen Ebenen wirken können. Er hält alle Informationen und die Integration der unzähligen Aspekte unseres Seins bereit. Unser Körper ist Ausdruck unserer Seele.

Selbst wenn sich Strukturen bereits festgefahren und im Körper manifestiert haben, können wir diese wieder ins Fließen bringen. Faszien-Rotation kann auf diesem Weg ein äußerst nützliches Werkzeug sein, indem wir bestimmte Bewegungen ausführen, die inneren Spannkraftzüge erspüren und Impulse geben, die zu körperlicher Klarheit führen. Zudem können wir Faszien-Rotation selbst anwenden – und zwar in allen Lebenslagen.

Ich war schon immer davon fasziniert, die Konturen, Gestaltungen und Atmosphären „innerer Räume" aufzuspüren, so dass natürliche Bewegungsabläufe, körperliche Leichtigkeit und müheloses Sein zu Tage treten können. In meiner Arbeit des systemischen Coachings und der körperorientierten Psychotherapie nutze ich die Essenz meiner langjährigen Erfahrung. In Bewegungen und in Körperkonturen erkenne ich dahinterliegende physische, emotionale und mentale Muster und Strukturen. Auf diese Verkörperungen beziehe ich mich in meiner Arbeit und gebe sanft neuro-muskuläre Impulse oder interveniere sprachlich.

Faszien-Rotation ist eine Methode, die zunächst direkt auf körperlicher Ebene ansetzt und entweder in der Einzel- oder in der Gruppenarbeit erlernbar ist. Die Menschen, die in meine

Seminare kommen, sind in erster Linie an einer klaren, übungszentrierten Körperarbeitsmethode interessiert. Oft sind sie überrascht, welch weitreichende positive Auswirkungen die Arbeit am Körper auch auf anderen Ebenen haben kann – etwa im Umgang mit sich selbst. Und ein Impuls auf der Ebene der Selbstbeziehung kann sich natürlich auch auf die Beziehungsfähigkeit mit anderen übertragen.

Der Begriff des Embodiment begleitet mich inzwischen seit 40 Jahren – seit ich durch den Ausdruckstanz erfahren habe, wie ich durch meinen Körper meine Seele und mein Fühlen berühre und wie sich durch meinen Körper die Welt meiner Empfindungen ausdrückt. Ich bin dadurch mit mir zutiefst in Kontakt gekommen. Seither bin ich auf einer äußerst dynamischen und spannenden Reise, die mal schwieriger, mal lustvoller und immer herausfordernd ist. Dabei habe ich gelernt, dass mein Körper das Medium all meiner Erfahrungen ist. Dies weiterzugeben, ist meine Motivation und der tiefere Sinn von Faszien-Rotation. Darin sehe ich meine Aufgabe.

Mein größtes Interesse gilt, unseren Denk-, Gefühls- und Bewegungsmustern auf die Spur zu kommen und im weiteren Verlauf die noch nicht ausgeschöpften Möglichkeiten und Ressourcen zu öffnen. Ausgangspunkt ist dabei für mich immer die Freude am Körper und der Bewegungsqualität – sowohl der inneren wie der äußeren. Hierfür schaffe ich einen vertrauensvollen Rahmen. Differenzierte Körperwahrnehmung und größere Bewegungsfreiheit verleihen unserem Selbst-Bewusstsein neue Kraft und Klarheit. In diesem Verbundensein mit uns können wir uns neu auf Alles beziehen. Und gleichzeitig sind wir Teil dieses Beziehungsraumes, der sich kontinuierlich im Entstehen befindet.

DIE GRUNDPRINZIPIEN VON FASZIEN-ROTATION NACH EIBICH

Ich habe die 14 Grundprinzipien von Faszien-Rotation in zwei Bereiche unterteilt: Die 7 übergeordneten und die 7 physischen Prinzipien. Sie bilden das Fundament meiner Arbeit, das sich in allen Bewegungssequenzen wiederfindet.

DIE 7 ÜBERGEORDNETEN PRINZIPIEN

1. *Die ganzheitliche Sichtweise*
2. *Das Visualisieren der Bewegung*
3. *Die differenzierte Wahrnehmung*
4. *Prozessorientiertes Arbeiten*
5. *Positive Wortfindung*
6. *Korrektives Begleiten*
7. *Anatomisches Nachvollziehen*

1. DIE GANZHEITLICHE SICHTWEISE

Die treibende Kraft, uns zielgerichtet zu bewegen, rührt von unseren frühkindlichen Bedürfnissen nach Nahrung, Atmung, Bindung, Sicherheit und Geborgenheit her. Wir sind aufgefordert, uns auf den fortwährenden Austausch zwischen unserer inneren und äußeren Welt einzulassen. Dies bedeutet Leben. Damit unsere Beziehung zwischen diesen Welten vital sein kann, braucht es entsprechende Interaktionsmodi. Wie wir Bewegungen initiieren und woher dieser Impuls jeweils kommt, spiegelt sich in der Art und Weise wider, in der wir unserer Umgebung begegnen. Fühlen wir uns mutig, inspiriert, angeregt, neugierig, offen und sicher in unserem Körper, fallen unsere Reaktionen auf die Erfordernisse des Lebens augenfällig anders aus, als wenn wir uns eng, blockiert, unsicher, unwohl oder verängstigt fühlen. Je entspannter und verbundener wir in uns sind, desto größer ist unsere Fähigkeit, zu improvisieren und souverän und authentisch zu agieren.
Und genauso umgekehrt: Ist unser Verhalten nicht kongruent zu dem, was wir fühlen, denken und sagen, wenn wir uns also verbiegen und verdrehen, wird diese Zerrissenheit manifest.

Unser Körper spricht Bände. Unsere inneren Windungen und Ambivalenzen werden körperlich oft in Verdrehungen, Dysbalancen und Torsionen sicht- und spürbar. Klarheit oder Unklarheit zeigt sich auf allen Ebenen unseres Seins. Es bleibt nichts verborgen.
Das Ziel der ganzheitlichen Sichtweise ist die Neubelebung und Integration aller Anteile zu einem Ganzen. Heilung ist ein ganzheitlicher Prozess, der Körper und Seele gleichermaßen

betrifft. Möchten wir im Außen etwas ändern, erfordert dies auch die Betrachtung unserer inneren Strukturen.

Es geht also um die Entwicklung einer harmonischen Beziehung zwischen unseren physischen, psycho-emotionalen und geistigen Anteilen. Diese zeigt sich in einer intuitiven Kreativität und drückt sich durch Sensibilität und Bewusstheit in unserem Leben aus. Aus der Offenheit, den „inneren Räumen" nachzuspüren, kann eine bessere Aktionsfähigkeit erwachsen. Dies ist die Grundlage jeder Handlungskompetenz, mit der wir den Ansprüchen des täglichen Lebens angemessen und verantwortungsvoll begegnen können. Wir reiben uns an der Welt. Diese Reibung gibt uns ein körperliches Feedback. So entsteht Identität. Wir entfalten unser inhärentes Potential.

Innere und äußere Faktoren bedingen und entsprechen einander. Sie beeinflussen unter anderem unsere körperliche Ausrichtung, unsere Stimmung und unsere Atmung. Auf permanenten Alltagsstress reagieren wir mit vegetativen Störungen. Wie unser Körper sich auf Stress, Aufregung und Anspannung verhält, zeigt sich unter anderem in Haltungsschäden (speziell Skoliosen), Gelenkschmerzen, Spannungskopfschmerz, entzündlichen Prozessen (bis hin zu chronischen und autoimmunen Entzündungsprozessen) sowie Blockaden auf allen Ebenen. Auch die Schwerkraft, Fehlhaltungen, Gewohnheiten, Spannungszüge durch Narbengewebe, überfordernde Erlebnisse oder Traumatisierungen wirken sich erheblich auf unseren Körper aus.

Es geht darum, unseren Körpermustern auf die Spur zu kommen und sie spürbar und dauerhaft zu verändern. Unharmonische Zustände oder Blockaden können aktiv gelöst werden. In der neu entstehenden Durchlässigkeit kann unsere Energie wieder gleichmäßig fließen und frei und ungehindert ihre natürliche, Gesundheit erhaltende Wirkung entfalten.

Faszien-Rotation macht die ganzheitliche Sichtweise von Gesundheit am eigenen Körper erfahrbar. Körper, Geist und Seele stellen eine Einheit dar: Unsere Gesundheit hängt davon ab, dass wir alle Ebenen gleichwertig betrachten. Diese Bewegungsmethode zeigt, dass es keinen statischen Zustand von Gesundheit und Wohlbefinden gibt. Verstehen wir uns in unseren dynamischen Zusammenhängen, hilft dies, unsere Selbstheilungskräfte zu mobilisieren.

Die Wirkung zeigt sich im Ganzen. Wir spüren unmittelbar das enge Zusammenwirken von Empfinden und körperlichem Geschehen. Wir werden ruhiger und ausgeglichener und spüren in belastenden Situationen mehr Erde unter unseren Füßen. Im Kontakt mit uns und unserer Kraft sind wir fähig zu agieren und haben mehr Energie zur Verfügung. Die Bewegungsmethodik der Faszien-Rotation gibt uns die Möglichkeit, selbst aktiv für Heilung und Wohlbefinden zu sorgen.

2. DAS VISUALISIEREN DER BEWEGUNG

Bewusste Wahrnehmung ist eine unserer maßgeblichen Fähigkeiten. Wahrnehmung ist ein Prozess, durch den jeder Aspekt unserer menschlichen Erfahrung bestärkt und bereichert wird. Indem wir unsere Aufmerksamkeit bewusst fokussieren, setzen wir eine Energie in Bewegung, die sich letzten Endes physisch manifestieren kann. Unsere Aufmerksamkeit ist ein kraftvolles Mittel, um unsere Energie zu leiten.
Dort, wohin unsere Aufmerksamkeit sich richtet, fließt Energie.

Wenn wir uns Bewegungen physisch vorstellen, sprich, ein Bild von einer Bewegung entwerfen und dabei gleichzeitig ein inneres Gefühl, eine körperlich spürbare Entsprechung entwickeln – sie sozusagen als Idee körperlich wahrnehmen –, fällt uns diese Bewegung anschließend bei der realen Ausführung leichter. Der Bewegungsradius verändert sich bereits über unsere vorausgegangene Vorstellung. Auf physischer Ebene initiiert, steuert und koordiniert unsere Intention die Bewegungen unseres Körpers.

Ich arbeite immer wieder mit Menschen, die nach operativen Eingriffen zu mir kommen, die zum Teil erhebliche Bewegungseinschränkungen haben oder mit Prothesen (Körperhilfen) leben lernen. Mit ihnen, wie mit allen anderen auch, arbeite ich ganz besonders mit der Vorstellung und dem inneren Gefühl von Bewegung, einer inneren sensoriellen Aufmerksamkeit. Wir stellen uns die Bewegung vor unserem inneren Auge vor, spüren ihr nach und erlauben dann dem Körper, dieser Vorstellung aktiv zu folgen.

Wir verbinden sozusagen unsere Imagination mit unserem Körpergefühl und können uns überraschen lassen, was dann passiert. Solange wir allerdings sagen: „Geht nicht! Kann nicht! Bis hier, doch weiter oder tiefer geht es nicht!", programmieren wir eine Grenze. Wir sorgen innerlich dafür, die Annahme bestätigt zu wissen. Wir blockieren uns selbst und stehen uns so selbst im Weg. Auf ein inneres „Nein" reagieren unsere Zellen eher mit einer Kontraktion statt mit Ausdehnung. Würde ich Bewegungen mit den Worten anleiten: „Geht bis an eure Grenzen", dann gebe ich die Idee einer Grenze vor. Verwende ich jedoch Worte, die die Vorstellung einbezieht und für die Idee von Ausdehnung empfänglich macht, erreiche ich viel mehr.

Unsere Vorstellung kennt keine Grenzen. In unserer Vorstellung ist alles möglich.
Stellen wir uns eine Bewegung innerlich mit ihren möglichen Muskelspannungen vor und erlauben dann unserem Körper, diesem inneren Bild zu folgen, öffnen wir uns für neue Bewegungsmöglichkeiten. Dieses sensorielle, physische Antizipieren bewirkt eine gewisse Leichtigkeit, ein Flow-Gefühl im Körper. So, als würde die Bewegung sich aus sich selbst heraus entfalten. Unser Muskeltonus ist bereit, Bewegungen größer werden zu lassen, uns in alle Raumebenen auszudehnen.

Gerne erinnere ich mich an einen Workshop „Improvisation und Darstellende Kunst" in den 90er Jahren. In Momenten der Stille sollten wir unsere jeweils nächsten Bewegungsimpulse wahrnehmen und sie uns mit allen körperlichen Empfindungen vorstellen. Statt diesen Bewegungsimpulsen zu folgen, lautete die Ansage des Workshop-Leiters jedes Mal: „Okay, jetzt wo du dir diese Impulse vorgestellt hast, folge ihnen nicht. Sobald du sie dir auch nur vorstellst, sind sie schon getan. Bewege dich anders!". Improvisation hat eben wenig mit Antizipieren zu tun. Wir haben mit dieser Übung so lange experimentiert, bis sie Wirkung zeigte und wir uns ganz den jeweils entstehenden Impulsen hingegeben haben.

Bei Faszien-Rotation arbeiten wir genau umgekehrt. Wir machen uns ganz bewusst ein inneres Bild von der Bewegungsrichtung und folgen ihr dann in der jeweiligen Bewegungssequenz. Das bedeutet nicht, Kontrolle über unsere Bewegungen zu erlangen. Kontrolle bewirkt erneut eine Kontraktion, und genau diese gilt es zu vermeiden.

Über die genaue Vorstellung von Richtung erreichen wir Klarheit in unserer Bewegung, innerlich wie äußerlich. Dabei spielen die Worte, mit denen ich die Bewegung anleite, eine signifikante Rolle (5. Prinzip). Wir stellen uns den Bewegungsansatz in der „unendlichen Ausdehnung" in die entsprechende Bewegungsrichtung vor – ohne ein Stoppen. Das erlaubt dem Gewebe, sich zu weiten, den Faszien ihre Spannkräfte weiter aufzuziehen – wir dehnen uns aus. Von außen betrachtet, ist diese Ausdehnung erahnbar und in ihrer Wirkung erkennbar.

In der Rotationsarbeit stellen wir uns nicht nur Richtungen vor, in die hinein wir uns ausdehnen, sondern an manchen Stellen lassen wir eine Art virtuelle Kraft erscheinen, erahnen, lebendig werden. Ich unterscheide die reale Kraft von der virtuellen Kraft. Die virtuelle Kraft fühlt sich in der Vorstellung als real ausgeübt an. Eine virtuelle Kraft kommt dort zum Einsatz, wo wir eine Gegenkraft zu unserer Spannkraft brauchen. Das Spielen mit der virtuellen Kraft erlaubt uns, auch ohne Fitnessgeräte oder Partner Kraft gegen einen – in diesem Fall virtuellen – Widerstand aufzubauen. So bleiben wir in einer Dynamik. Die innere Gespanntheit wird bewahrt und sogar verstärkt, ohne dass sie im Außen ins Leere läuft und verpufft.
Das Visualisieren von Bewegung hat, auf dieser Ebene ausgeführt, einen großen Effekt und lässt uns erleben, selbstwirksam zu sein. Nebenbei wird unsere Körperwahrnehmung immer feiner und differenzierter.

3. DIE DIFFERENZIERTE WAHRNEHMUNG

Zu unserem Handlungsbewusstsein gehört die Qualität der Wahrnehmung. Bei der Faszien-Rotation wird deutlich, wie sich durch Spüren und Verstehen unsere Wahrnehmung verändert. Es entwickelt sich eine Bewusstheit für die subtilen Regungen, Spannungszüge und -kräfte, die sich abspielen, während wir uns bewegen. Nur so können alte Körpermuster sanft gelöst und neue, gesunde Ausrichtungsimpulse gegeben werden.

Wahrnehmung erweitert unseren Blick – sie öffnet uns. Reine Aufmerksamkeit hält eher den Fokus. Wahrnehmung brauchen wir im Prozess des subtilen Gewahrwerdens (Präsenz). Wir sind wach, ganz im Hier und Jetzt – und gleichzeitig fähig, unsere Aufmerksamkeit und unser Empfindungsvermögen nach außen zu richten. Wir entwickeln ein Gespür für das Innen und Außen, gleichzeitig und gleichermaßen.

Die Augen bleiben dabei geöffnet. Sie starren nicht, sie schauen. Sie entspannen sich sozusagen in ihren Augenhöhlen. Diese Entspanntheit unserer Augenmuskulatur wirkt sich auch auf unsere Kiefer- und unsere Nackenmuskulatur aus.
Schließen wir unsere Augen beim Spüren und gehen unseren inneren Empfindungen nach, hat dies eine ganz andere Qualität und Funktion. Spüren mit geschlossenen Augen und nach innen gerichteter Aufmerksamkeit ist genaugenommen die Vorstufe und Grundlage von Präsenz. Präsenz geht noch eine Stufe weiter und bedeutet eine Bewusstheit für das Spüren, während wir ganz wach sind und agieren. Im Körper zeigt sich diese Präsenz in einem vitalen Faszien-System.

Jede Veränderung braucht in ihrem Prozess die Wahrnehmung. Ohne Wahrnehmung lässt sich nichts nachhaltig neu gestalten. Möchten wir Haltungen verändern, kommen wir nicht umhin, die dahinterliegenden Muster aufzuspüren. Anderenfalls stülpen wir nur eine neue Strategie über etwas, das im Hintergrund latent weiter wirkt und jederzeit ausgelöst werden kann. Dabei können die Auslöser ganz unterschiedlicher Natur sein. Wenn wir ohne eine bewusste Wahrnehmung des aktuellen Bewegungs- und Haltungsmusters arbeiten, verstärkt sich automatisch das alte Muster. Wir orientieren uns immer wieder am Altbekannten, das uns Sicherheit verspricht. Propriorezeptoren tragen dazu bei, dem Gehirn die Informationen zu übermitteln, wo und wie wir uns bewegen. Wir gleichen innerlich immer wieder das entstehende Gefühl ab und bewerten es nach den Kriterien „neu und unbekannt = unsicher", „vertraut = gut und richtig".

Ausgangspunkt aller Selbstwahrnehmung ist immer unser Körper, da sie sich als erstes in unserem Bewegungs- und Ausdrucksverhalten zeigt. Es gilt, unsere Gesundheit zu erhalten und zu unterstützen. Demnach soll unsere Fähigkeit gestärkt werden, Dissonanzen und Ungleichgewichte im Körper erst einmal wahrzunehmen. Denn nur über die Wahrnehmung kann im zweiten Schritt Veränderung stattfinden.
Neue neuro-muskuläre Reize sind körperliche Interventionen und können unbewusste, alte Muster transformieren.

Faszien-Rotation schult die Wahrnehmung unserer Körperstrukturen und unserer Bewegungsmuster. Menschen, die sich schwer im Raum orientieren können, haben häufig eine Störung in ihrem Körperschema. Durch Faszien-Rotation erhalten wir neue neuro-muskuläre Impulse, die unsere Ausrichtung nachhaltig verändern und unsere Bewegungsvielfalt anregen und erweitern. So können wir selbstwirksam störenden Einflüssen entgegensteuern. Wir sorgen durch Ent-Spannung und Harmonisierung dafür, dass unsere Lebensenergie wieder frei fließen kann.

Eine natürliche Einstellung zu unserem Körper und unserer Körperlichkeit ist die Grundvoraussetzung einer liebevollen Beziehung zu uns selbst.

4. PROZESSORIENTIERTES ARBEITEN

Jeder Mensch ist der Ort seiner eigenen Quelle von Kräften, die ihm positive Veränderungen ermöglichen. Um ein uns einschränkendes Muster unseres gesamten Repertoires zu ändern oder zu korrigieren, reicht es nicht aus, irgendeinen Schalter umzulegen. Da würden wir uns nur selber etwas vormachen. Wie wir bislang erfahren haben, schleichen sich Muster ein. Ein Muster besteht aus Wiederholungen, aus immer wieder ähnlichen oder gleichen Reizen, die oftmals einer Kompensation entspringen. Oder sie sind Folge einer Bewältigungs- oder Überlebensstrategie – je nachdem, in welchen Alter und Kontext sie aufgetreten sind.

Wir können also sagen, ein Muster ist eine Gewohnheit – ob gut oder schlecht, sei dahingestellt. Und Gewohnheiten verhalten sich nun einmal wie eine „träge Masse". Muster haben es sich in uns so richtig schön bequem gemacht, auch wenn sie sich nicht immer bequem anfühlen. Dank der propriorezeptiven Wahrnehmung hat sich unser ganzes System auch schon gut an diese über die Zeit vermittelte Normalität gewöhnt und sich diesbezüglich eingerichtet – beziehungsweise ausgerichtet. Eine Haltung ist entstanden mit entsprechenden Beschwerden.

Dabei sind uns allerdings ganz gesunde, altersentsprechende Möglichkeiten entweder verloren gegangen oder finden sich abgetrennt, abgeschnürt, weggespannt durch ein bisschen zu viel Zug hier und Druck dort, irgendwo blockiert in einem der vielen Räume unseres Körpers. Dysfunktionales hat entweder überhandgenommen oder regiert unsere, die Homöostase unterstützenden Anteile. Wir werden übervorsichtig, verspannen uns als Schutz oder aus Angst dabei noch mehr und verlieren den Zugang zu unserem gesamten Potential.

Möglich ist auch, dass ein Negativerleben als Überlebensstrategie abgetrennt oder verdrängt wird. Verdrängung erfordert auf Dauer enorme Kraft und geht auf Kosten des gesamten Organismus. Wir zahlen einen hohen Preis für diese chronischen Prozesse, die sich mit der Zeit gegen uns wenden, zum Beispiel bei Autoimmunerkrankungen.

Es müssen nicht immer die ganz großen offensichtlichen, lebensbedrohlichen Dramen sein, die uns langfristig beeinträchtigen. Eine Verletzung – körperlich wie emotional – oder ein chirurgischer Eingriff sind eben auch Einschnitte, die Narben zurücklassen oder zumindest für eine Unausgewogenheit im System sorgen. Wir haben vergessen, dass wir eine organische Einheit sind, bei der alles mit allem verbunden ist – Dank des Bindegewebes.

Alles, was wir jemals erlebt haben, hat sich in den Flüssigkeitsstrukturen unserer Matrix eingeschrieben und Spuren hinterlassen, auf allen Ebenen. Das Bindegewebe trägt diese zellulären Erinnerungen. Und zwar nicht nur die negativen, sondern auch die positiven Erfahrungen. Veränderung und Heilung nehmen den gleichen Weg durch das Bindegewebe. Auch wenn sich alte Erfahrungen nicht rückgängig machen lassen, so lässt sich doch die Dynamik unserer Reaktionen auf die jeweiligen Situationen – körperlich wie emotional – verändern. Das macht den entscheidenden Unterschied. Darin liegt die große und, wie ich finde, unterbewertete Chance, unseren Körper für neue Möglichkeiten seiner natürlichen Ressourcen und Potentiale zu öffnen.

Dies ist kein Hauruck-Verfahren, kein „eins und zwei und drei und vier", sondern ein Prozess. Nur im Vertrauen können wir alte Körper- und Bewegungsmuster loslassen, Erfahrenes in neue Kontexte stellen und uns auf neues, bislang noch unbekanntes Terrain wagen. Aus Haltungen heraus können wir uns zu neuen Ausrichtungen hinbewegen. Das Erlebte kann ausklingen und in den Erfahrungsschatz integriert werden. Die Transformation von gehaltenen Energien hin zu ihrem freien Fließen ist heilsam.

Körperliches Selbstverständnis wird gestärkt und substantielle Unterschiede werden fühlbar. Neue Erfahrungen können so zu einer Modifizierung von inneren (Glaubens-) Sätzen und Annahmen führen, die in einer veränderten Ausrichtung sichtbar werden. Unser Körper strahlt Offenheit, Spannkraft und Schwung aus. Da sich unser Selbstbild auf unserem Körperbild aufbaut, erscheint auch dies neu. Ein positives Körperbild ist die Grundvoraussetzung für eine liebevolle Selbstbeziehung.

Faszien-Rotation orientiert sich immer an dem aktuellen Bedürfnis. In der Arbeit mit Faszien-Rotation stelle ich mich auf das ein, was mein Gegenüber mitbringt. Manchmal ist es ein schmerzendes Gelenk, manchmal eine ganze Verkettung von Kompensationen, manchmal die Lust, sich zu längen und zu kräftigen, manchmal die Bereitschaft, sich einen blockierten Bereich anzuschauen, das, was die Arbeit und damit den Heilungsprozess bestimmt. Manchmal ist es von allem etwas. Themen, die sich vordergründig im Körper zeigen, sind zu beachten. Sie dienen oftmals als Initiatoren und inspirieren und aktivieren den gemeinsamen Weg.

Auch wenn ich in erster Linie mit dem Körper arbeite, gebe ich zumindest Raum für das, was sich darüber hinaus zeigt oder erahnen lässt. Innere Widerstände und Störfaktoren können dabei wichtige Hinweise geben. Nicht immer sind Tränen und Ernst nötig, um angespanntes, verdrehtes, festhaltendes Gewebe oder Emotionen zu lösen. Ein Moment emotionaler Befreiung macht sich manchmal auch als ein Gähnen, tiefes Seufzen, Lachen, Zittern, kalter Schauer oder als plötzlicher Hitzeschub bemerkbar.

Mit einem Lächeln oder Augenzwinkern, immer getragen von hoher Achtung gegenüber dem Menschen und seinen inneren wie äußeren Bewegungen, kann ein liebevoller, vertrauensvoller Raum entstehen. Herzliche Interaktion ermöglicht eine Offenheit und Bereitschaft, den eigenen Anteilen zu begegnen. Gemeinsam können wir Verborgenes entdecken, wiederbeleben, verarbeiten und integrieren.

5. POSITIVE WORTFINDUNG – DIE WIRKKRAFT VON SPRACHE

Worte können Menschen emotional stark beeinflussen. Sie erschaffen und verdichten Atmosphären und haben dadurch einen nicht zu unterschätzenden sogenannten Trance-induzierenden Charakter. Was macht unsere Sprache mit uns? Wie wirken Glaubenssätze und Sprichworte in uns, die wir vielleicht schon von klein auf wie ein Mantra hören und die unser Leben durchziehen? Wie drückt sich dies durch unseren Körper in Gefühlen, unserem Handeln, Verhalten, Denken und unseren Bewegungen aus? In welche Gesten verfallen wir typischerweise bei bestimmten Auslösern?

Jedes Wort setzt einen Reiz in unserem Nervensystem und wandelt sich immer in körperliche Reaktionen um. Worte besitzen somit eine nicht zu unterschätzende Wirkkraft. Es entstehen verdichtete Atmosphären. Wir können sie für eine Umdeutung und Neu-Rahmung nutzen. Körperliche Reaktionen verändern unseren Tonus. Es gibt Worte, die unseren Körper eher eng werden lassen, andere, die zu einem Sich-Öffnen einladen („einladen" ist z. B. ein Wort, das in die Weite leitet). Kontraktion oder Expansion ist die „Gewebeantwort". Bewusstsein hat also auch immer etwas mit dem achtsamen Umgang hinsichtlich der Wirkkraft von Sprache zu tun.

Entscheidend ist die Wahl der Worte, mit denen die Bewegungssequenzen angeleitet und durch den Körper geführt werden. Jedes Wort wird immer in eine körperliche Reaktion umgewandelt. Worte schreiben sich somit in unseren Körper ein.
In Faszien-Rotation plädiere ich ganz bewusst für eine Sprache, die in die Weite (ver-)führt, mit öffnender Wirkung.

Ich selbst besuche immer wieder gerne Seminare, Kurse und Workshops. Aus der Erfahrung als Teilnehmerin bin ich sehr oft erschüttert, welche Sprache im vielfältigen Angebot der Bewegungsarten „herrscht". Ich komme mir manchmal vor wie auf einem Kampfplatz: „Drück weiter", „Reiß' dich zusammen", „Kämpf' noch ein bisschen", „Halte fester! Halte durch!", „Fixiere, kontrolliere"...

Um mich bei solchen Worten trotzdem weiterhin im Modus der Ausrichtung und Ausdehnung bewegen zu können, bin ich permanent damit beschäftigt, diese Ansagen für mich zu übersetzen oder zu modifizieren. Denn es ist oftmals eine Sprache des Sollens und Müssens, die für Enge, besonders in den Gelenken, sorgt, und nicht die Sprache des Wollens und Könnens. Und das ist keine Frage der Anstrengung, sondern nur der Richtung: eng zum Körper gezogen oder in den Raum ausdehnend.

Ich möchte dies an einem einfachen Beispiel zeigen: Wir begeben uns in den Vierfüßler-Stand und nehmen unsere Schultergelenke ganz bewusst wahr.

> *Variante 1: „Drücke deine Hände kräftig in den Boden!"*
> *Variante 2: „Bewege deine Hände kraftvoll nach unten in den Boden!".*

Wir führen beide Anleitungen mit genügend Zeit durch, begleitet von der Frage, was dabei in unseren Schultergelenken passiert.

Bei der ersten Anleitung „in den Boden drücken" entsteht eindeutig Enge, da unser Oberarmknochen durch den am anderen Ende (Hand) erzeugten Druck zurück ins Gelenk geschoben wird. Unser Schultergelenk wird gestaucht. Drücken erzeugt also immer irgendwo einen Gegendruck im Körper. Die Bewegungsrichtung geht zur Körpermitte, sie ist proximal. Bei der zweiten Anleitung „kraftvoll nach unten in den Boden bewegen" entsteht Länge, da die Hände sich nach unten, weg vom Körper bewegen. Es entsteht ein Zug, der in diesem Fall unser Schultergelenk öffnet. Die Bewegungsrichtung ist distal. Dieses Beispiel lässt sich auf unseren gesamten Körper übertragen und verdeutlicht, worauf ich hinaus will.

Wir müssen uns also nicht wirklich wundern, dass es so viele Gelenkbeschwerden gibt, selbst bei sportlich aktiven Menschen. Und wenn wir dann noch ein Gewicht von außen dazu nehmen und durch ein geschlossenes Gelenk heben und bewegen, wird das Ganze noch schlimmer. Rechnen wir einmal alle belastenden Faktoren zusammen: Ein geschlossenes, enges Gelenk, ein von außen einwirkendes Gewicht, eine angespannte Haltung, eine meist unbewusste, Enge auslösende Anleitung – und addieren dazu die kontinuierlich einwirkende Schwerkraft. In der Summe ist die Belastung unerträglich.

Worte können uns locken, mit geöffneten Gelenken zu arbeiten. So entlasten wir unseren Körper schon erheblich. Wenn wir jetzt noch den Rest von Ausrichtung, Spannkraft etc. beachten, wird es interessant. Und das lernen wir bei Faszien-Rotation.

Wir können unsere Wahrnehmung schulen und ein Bewusstsein dafür schaffen, deutlicher zu spüren, welche Wirkung die jeweilige Formulierung auf unser eigenes Körpergefühl hat. Und auch, welche Formulierung unsere Aufmerksamkeit dahin bringt, wo wir wirklich sind oder wo wir hin möchten.

In Faszien-Rotation lege ich sehr großen Wert auf die Kraft meiner Sprache. Ich wähle Worte nach der Richtung, in die ich die Aufmerksamkeit lenken möchte. Das, was ich in den jeweiligen Bewegungssequenzen erreichen möchte, sollte ich mit einfachen, klaren Worten beschreiben können.

6. KORREKTIVES BEGLEITEN

Im Allgemeinen gilt: Es ist nur sinnvoll, bestimmte Übungen oft zu wiederholen, wenn wir dies gleichzeitig bezüglich unserer Achse und der Öffnung der Gelenke etc. wahrnehmend begleiten. Ansonsten schleichen sich ganz schnell wieder die alten Bewegungsgewohnheiten und Spannungsmuster ein.

Wir haben die Neigung, Bewegungsmuster zu bevorzugen, die sich für uns normal anfühlen. Normal ist, was vertraut ist und auf eingetretene Pfade verweist. Egal was wir machen, wobei und wie wir uns bewegen – wir tun es wahrscheinlich in diesen gewohnten Mustern. So verstärkt jede weitere Bewegung innerhalb dieser Gewohnheit das charakteristische Verspannungsmuster.

Faszien-Rotation ist ein individueller Ansatz. Deshalb kann es hierbei weder um ein Konsumieren von Bewegungen im Vormach-Nachmach-Modus gehen, noch um ein mechanisches Abrufen von Bewegung durch viele Wiederholungen. Denn jede Wiederholung einer Bewegung in einer gewohnten Fehlhaltung verstärkt diese.

Jedes Körperbild ist individuell geprägt. Haben wir eine gute Selbstwahrnehmung, kann unser Körper uns als zuverlässiges Messinstrument dienen und Resonanzen spüren. Körperliche Positionen, Bewegungen oder Tätigkeiten können als lebende Metaphern verstanden werden.

Es geht mir darum, auch den Körper eines Menschen zu verstehen, um ihm möglichst passende korrektive Impulse anbieten zu können. In meiner Arbeit – ob in der Bewegungsarbeit oder im psychotherapeutischen Setting – nutze ich meinen Körper immer als Resonanzinstrument, um die in der Tiefe liegenden Ungleichgewichte zu erspüren. Richtungen und Spannungen im Körper, die Atmung, die gesamte Ausstrahlung und das Bewegungsverhalten geben mir Hinweise, die ich beachte und achte. Dabei zeichnet sich eine Ahnung, eine Idee, eine Vorstellung, eine Art Bild der körperlichen, psycho-emotionalen Spannungszüge in mir, in meinem Körper, ab.

Verstehen Sie mich nicht falsch: Es geht hier nicht um Interpretationen und das Anwenden von Körpersprachstudien, sondern allein um die Resonanz. Meist reicht schon die Wahrnehmung dessen, wie jemand steht, geht oder mir gegenübersitzt. Es ist wie eine Art Momentaufnahme, aus der heraus sich eine Ahnung, eine Idee ergibt, worin die lösende Bewegung bestehen könnte. Dabei arbeite ich viel mit meiner Vorstellung eines optimalen Ausrichtungsbildes meines Gegenübers und finde Worte, die in die entsprechende Richtung leiten.

Mit Faszien-Rotation hat jeder Mensch die Möglichkeit, im individuellen Tempo zu arbeiten. Dadurch werden alte Körperstrukturen und Bewegungsmuster sanft und im eigenen Rhythmus gelöst. Die Arbeit zeichnet sich durch ein stets individuelles, korrektives Begleiten aus – durch Körperausrichtung und durch Impulsgebung.
Da wir auf Faszien-Ebene arbeiten, werden Unterschiede schnell und nachhaltig spürbar. Wenn sich ein Gefühl für eine neue, effizientere Ausrichtung entwickelt, prägt sich auch dies durch die Propriorezeptoren in unser Ausrichtungsgedächtnis ein und ist dort immer wieder abrufbar. Zu Beginn braucht es dabei ein korrektives Begleiten, bis wir in unserer Eigenwahrnehmung sicherer werden.
Auch das korrektive Begleiten lässt sich lernen.

7. ANATOMISCHES NACHVOLLZIEHEN

Die Besonderheit der Faszien-Rotation liegt in der Genauigkeit, mit der die anatomischen Strukturen und Systeme des Körpers und ihr Ausdruck in der Bewegung erkundet werden. Ich arbeite an einem für den Laien leicht zugänglichen Körperverständnis durch entsprechendes Anschauungsmaterial, experimenteller Anatomie und vielen Beispielen aus der Praxis. Je mehr wir über unseren Körper lernen, desto eher sind wir bereit, Eigenverantwortung zu übernehmen. Ein vielschichtiges Lernen erfolgt über alle Kanäle: körperliche, sinnliche und intellektuelle. So erschließt sich uns unsere Welt nachvollziehbar – die innere wie die äußere.

DIE 7 PHYSISCHEN PRINZIPIEN

1. *Tragesystem und Tensegrität*
2. *Spannkraft – Dynamik aus der Peripherie*
3. *Hebelwirkung – Das Spiel zwischen Schwerkraft und Auftrieb*
4. *Die Rotation der Füße bzw. der Hände*
5. *Das kraftvolle Längen*
6. *Bewegungsansatz und Bewegungsrichtung*
7. *Die natürliche Atmung eines entspannten Körpers*

1. TRAGESYSTEM UND TENSEGRITÄT

Unser Körper ist nicht wie ein Haus gebaut. Es gibt keine waagerechten Auflageflächen, auf denen die nächsten Strukturen wie Stein auf Stein lagern und die so für eine stabile Architektur sorgen könnten. Die Strukturen sind deshalb nicht wie zementiert miteinander verbunden, weil wir eine größtmögliche Flexibilität benötigen. Dennoch brauchen wir bei all dieser Beweglichkeit ein hohes Maß an Stabilität, die die einzelnen Gefüge zu einer einmaligen Komposition verbindet. Wir brauchen eine Alternative, die optimal auf unsere Bedürfnisse, dem Gleichgewicht zwischen Beweglichkeit und Solidität abgestimmt ist.

Deshalb haben wir ein ausgeklügeltes Netz von Verstrebungen, Gegengewichten und Spannkräften, damit Gewichte und Lasten, die auf einen Knochen einwirken, diesen nicht von seinem Gelenk weggleiten lassen. Eine Konstruktion, die die Knochen auch bei extremen Dreh- und Schwenkbewegungen an ihrem jeweiligen Platz sichern. Für diese komplexe Gestaltung ist es notwendig, dass wir sowohl auf einen ausbalancierten, gut gekräftigten Körpertonus achten wie auch gleichermaßen auf eine gewisse Geschmeidigkeit und Durchlässigkeit. Nur dadurch kommt es zu einem ausgewogenen Spannkraftverhältnis mit hoher Effektivität.

Die ideale Verbindung zwischen Muskeln, Skelett und Bindegewebe wird durch das Prinzip der „Tensegrität" [von engl. tension und integrity = Zugspannung und Ganzheit) ausgedrückt. Unser gesamtes Kollagengerüst verknüpft die Zellen all unserer Organe und Gliedmaßen, verleiht ihnen Gestalt und arrangiert ihre korrekte Beziehung optimal zueinander. Knochen und Bänder geben diesem Modell die zur aufrechten Körperausrichtung nötige Festigkeit, während die Sehnen die Knochen mit den Muskeln verbinden, damit die muskuläre Kontraktion bestimmte Bewegungen auslösen kann. Der primäre Motor unserer Tensegritätsstruktur ist demnach die Muskelkraft. Sie liefert den Krafteinsatz. Unter faszialem Blick wirken alle kollagenhaltigen Körperstrukturen nicht einzeln. Erst aus ihrer Verschmelzung ergeben sich die myofaszialen Leitbahnen, die sich vertikal, quer und spiralförmig durch unseren Körper ziehen.

Ich bin noch durch die Begriffe eines „Halte- und Bewegungsapparates" sozialisiert. In meiner Arbeit von Faszien-Rotation habe ich diese grundlegend ersetzt. Wir besitzen keinen Apparat, sondern sind ein in sich zusammenhängendes System. Weiterhin habe ich den Begriff „halten" durch „tragen" ersetzt. Spreche ich nun von einem „Tragesystem" im Gegensatz zu einem „Halteapparat", dann deshalb, weil das Halten, meiner Meinung nach, muskulär von oben geschieht und das Tragen über unsere knöchernen Strukturen von unten nach oben. Im Normalfall stehen, liegen, sitzen wir auf dieser Erde. Ergo werden wir von ihr getragen. Deshalb werden bei der Arbeit mit Faszien-Rotation alle Bewegungssequenzen von unten nach oben aufgebaut – dem Tragesystem entsprechend. Gut geerdet und Gelenk für Gelenk bestmöglich ausgerichtet, können wir jegliches Festhalten aufgeben. Durch die Erdung überträgt sich Sicherheit, Klarheit, Stabilität, Unterstützung, Orientierung, Kraft.

Wir achten die tragende Rolle der Gelenke und machen uns ihre Reihenfolge immer wieder bewusst: Unter uns die Erde, auf ihr die Fußgelenke, die Knie, die Hüftgelenke, das Becken, die Wirbelsäule aufwärts bis in den Schädel hinein und gleichzeitig von der Brustwirbelsäule über die Rippenbögen in das Brustbein, die Schlüsselbeine, die Schultergelenke, die Ellbogen, die Handgelenke, die Finger und darüber hinaus. So trägt eine Struktur die nächste und keine muss gehalten werden.

Damit die Schwerkraft, die kontinuierlich auf uns einwirkt und die unser Gewicht entsprechend ihrer Richtung in die Erde hineinfallen lässt, auch ungestört wirken kann, ist es unabdingbar, unsere Gelenke weitestgehend zu öffnen, sie zu entriegeln. Sind unsere Gelenke geschlossen, verdreht oder nicht gut übereinander ausgerichtet, kommt es zu einer erhöhten Beanspruchung und in der Folge zu Abnutzung mit Deformationen, Bewegungseinschränkungen und Gelenksschmerzen. Arthrose und Arthritis sind Beispiele für solche Reaktionen.

Mögliche Belastungsunterschiede der Gelenke werden bei der Faszien-Rotation genauestens angeschaut und ganz präzise neu justiert. Durch Entlastung unserer Gelenke entsteht Ausgewogenheit und eine Ökonomisierung der Bewegungen. Weitere Effekte sind gekräftigte Bänder und Sehnen, die mehr Unterstützung geben und vor Überdehnung schützen. Darüber wird eine Integration der einzelnen Gelenke in ein gutes Tragesystem gefördert. Dies beugt einseitigen Abnutzungserscheinungen, Stauungen und Blockierungen der Gelenke vor und schafft gleichzeitig mehr Raum und Weite im Körper, wovon unsere Organe und alle weiteren Strukturen profitieren.

Werden also bei der Faszien-Rotation durch die Methode des kraftvollen Längens und der Rotationen unterschiedliche Spannungszustände der Faszien im Körper verändert, kommt es zu einer Harmonisierung des Tonus. Länge, Kraft und Raum entstehen. Sie geben den Knochen die Möglichkeit, an ihren eigentlichen, ursprünglichen Platz zurückzukehren. Dies ist ein dynamischer Prozess, der uns aus dem bislang vertrauten System des Haltens (Halteapparat) hin zu einer neuen, veränderten Form des Tragens (Tragesystem) auffordert.

Unser Körper und seine Bewegungen werden somit als klar, leicht und anmutig wahrgenommen. Präsenz, Bewusstsein und Vitalität sind die Folge. Wir fühlen uns wieder lebendig und können den Anforderungen des alltäglichen Lebens kraftvoll begegnen.

Aus meiner Praxiserfahrung:

In meinen Kursen habe ich es immer wieder mit Menschen zu tun, die unter starken Rückenschmerzen leiden. Verrückterweise erhalten sie oftmals den ärztlichen Rat, doch verstärkt ihre Rückenmuskulatur aufzubauen. Ich kann bei solchen Überlegungen nur den Kopf schütteln, denn die entsprechende Muskulatur ist in den meisten Fällen schon überspannt und/oder vor allem im unteren Rücken einseitig verkürzt. Wird diesen Beschwerden mit einem Krafttraining – vor allem für die Rücken- und Bauchmuskulatur – begegnet, stelle ich immer wieder fest, dass sich die Probleme noch verstärken. Wir können uns das Ganze wie einen zu festen Draht im unteren Rücken vorstellen, der stark die Struktur der gesamten Wirbelsäule beeinflusst. Haben wir jetzt noch einen stark verspannten Schulter-Nacken-Bereich, der von oben auf der Wirbelsäule lastet, dann ist das Ungleichgewicht vollkommen. So sind vor allem unser unterer Rücken mit dem Kreuzbein und den Iliosakralgelenken damit beschäftigt, den von oben wirkenden Spannungen zu begegnen und sie auszutarieren. Dabei wird zu allem Unglück meist noch der Bauch fest eingezogen und so jegliche Beweglichkeit verhindert. Hier zeigt sich, wie ein Spannungsungleichgewicht zu viel Kraft und Energie verbraucht. Meist gesellt sich dann zu der Verspannung und zu den Schmerzen ein Energiemangel.

In meiner Arbeit richte ich mein Augenmerk auf eine noch tiefere Etage – immer in Hinsicht darauf, welches Gelenk das nächst höhere trägt. Dabei fällt auf, dass die meisten Menschen mit Problemen im Rücken wenig Kraft in den Beinen haben und zudem vermehrt ihre Knie durchdrücken. Meiner Erfahrung nach, kann die Rückenmuskulatur in den verspannten oder blockierten Bereichen nur dann zum Loslassen eingeladen werden, wenn die Beine die eigentliche Tragekraft wieder erlangen. Dies erfolgt, wenn die Knie gelöst und die gesamte Beinmuskulatur (vor allem die ischiocrurale Muskulatur) durch das kraftvolle Längen gelängt und gekräftigt werden. Zudem können wir keine Entspannung des unteren Rückens erlangen, so lange die Psoas-Muskeln verkürzt sind. Also gilt es auch diese zu längen; nicht nur zu dehnen. Erst dann fühlt sich der Rücken wieder entspannt, lang und gelöst an.

2. SPANNKRAFT – DYNAMIK AUS DER PERIPHERIE

Gesunde Faszien zeichnen sich durch eine hohe Viskoelastizität aus. Wenn das Verhältnis zwischen den beiden Gewebseigenschaften elastisch und kraftvoll ausgewogen ist, besteht eine gute Spannkraft. Diese lässt sich trainieren. Eine Kraft, die nicht im üblichen

Sinne gehalten, zum Zentrum ziehend mit hohem muskulärem Einsatz ausgeführt wird, sondern eine fließende Kraft, vital und verbunden mit einem hohen, uns zur Verfügung stehenden Energiepotential.

Kraft lässt sich nicht auf den Sport- und Fitnessbereich beschränken. Ohne Kraft können wir unser Leben nicht leben. Wenn wir an Kraft denken und dabei in uns hineinspüren, nehmen wir möglicherweise die Idee von Anstrengung wahr. Anders bei dem Begriff der Spannkraft: Damit lassen sich zunächst Vitalität, Länge, Dynamik und Aufrichtung assoziieren. Mit Spannkraft finden wir zu unserer integrierten und natürlichen Ausrichtung, um unseren Alltag gesund und aktiv zu gestalten.

Kein einzelner Muskel führt einzelne Bewegungen aus. Muskeln sind nicht funktionell autonom, sondern vollkommen eingebunden. Damit wir eine größtmögliche Flexibilität mit gleichzeitig hohem Kraftpotenzial erreichen können, brauchen wir eher lange und vitale Muskeln. Für ein hohes Maß an Effizienz und Geschmeidigkeit müssen alle kraftausübenden und stabilisierenden Strukturen harmonisch zusammenarbeiten. Auch verspannte Muskeln treten nicht einzeln auf. Vielmehr sind es Zonen mit zu hoher Spannung oder körperweite Spannungsmuster.

Wird unsere Körpermitte zu sehr angespannt und der Bauchnabel tief eingezogen, kann die aus der Peripherie initiierte Kraftdynamik maximal nur bis zur Körpermitte aufgebaut werden. Wie ein Knoten durchbricht dieser Spannungspunkt die Kraftlinie und verhindert den dynamischen Kraftfluss. Durch diesen Kraftakt ziehen sich unsere Gewebestrukturen zusammen – sie kontrahieren, die Muskeln verkürzen sich, es entsteht Enge im Körper.

Bauen wir die Kraft dagegen von der Peripherie auf und lassen unsere Mitte dabei weitestgehend frei, entsteht Spannkraft, die sich über die faszialen Kraftlinien durch unseren Körper hindurchzieht. Je nach der Ausgangssituation geht die Kraft von unseren Füßen, Händen oder den Gelenken aus, die sich jeweils als am weitesten entfernt – bezogen auf die medial gelegenen Gelenke – befinden. In der Bewegungssequenz „Rückenbogen" sind dies beispielsweise die Sitzbeinhöcker, die die Spannungslinien des Rückens strecken; bei der Bewegungssequenz „Welle" sind es die Ellenbogen, die nach außen ziehen, um die myofaszialen Leitbahnen der Arme zu spannen. Die Gelenke dienen dabei als Eckpfeiler, an denen Faszien-Strukturen ansetzen.

Die Mitte unseres Körpers ist auch aus Sicht der Bewegungsentwicklung von großer Bedeutung. Der Nabel mit seinen Verbindungen zu den Gliedmaßen spielt eine zentrale Rolle bei allen radial symmetrischen Bewegungen. Auch hier sehen wir, wie Bewegungen der Arme, der Beine und des Kopfes – also von der Peripherie her entstehend – durch die Körpermitte integriert werden. Nur so wird eine Durchlässigkeit garantiert, die eine Weite, ein Öffnen des Körpers bei gleichzeitiger Kraftanwendung erlaubt. Und nur so wird die Mitte des Körpers zu einem lebendigen, sprudelnden Kraftzentrum.
In der Therapie und im Training sind dagegen herkömmliche Bewegungsmethoden weit

verbreitet, bei denen das Körperzentrum angespannt wird. Deshalb finden wir so viele arm- und beinorientierte Bewegungsarten – sie bleiben jedoch unverbunden, da das Zentrum angespannt wird (was der Idee des Knotens entspricht). Dies wird im Allgemeinen damit begründet, dass der untere Rücken sich durch die Anspannung des Bauches stabilisiert. Dieser Aussage möchte ich vehement widersprechen: Der untere Rücken wird durch das Einziehen des Bauchnabels lediglich fest, nicht stabil. Stabilität des unteren Rückens ergibt sich nicht durch eine Kontraktion, sondern durch eine Ausdehnung (Expansion) des Gewebes, so dass unser Kreuzbein immer noch die Möglichkeit hat, sich entsprechend der Kräftewirkung zu justieren. Wie wir später noch am Beispiel einer Brücke (S.101) sehen werden, würde das Festhalten der Mitte einer Einzementierung des Keilsteins in einer Brückenkonstruktion gleichkommen. Ein fest zementierter Schlussstein lässt jedoch keine gleichmäßige Verteilung der auf ihn einwirkenden Gewichte und Zugkräfte zu.
Gleiches gilt für unseren Körper: Wird die Mitte fest, entsteht eine enorme Spannung um das Kreuzbein, wodurch es in seiner Fähigkeit gehindert wird, gegebenenfalls für subtile Ausgleichsbewegungen zu sorgen und die einwirkenden Kräfte des Körpers von oben und unten gleichmäßig zu verteilen.

Ich möchte an dieser Stelle nochmals darauf hinweisen, dass Festigkeit immer wieder mit Stabilität verwechselt wird. Festes Gewebe ist eng und nicht stabil! In einer Gesellschaft, in der Rückenbeschwerden an der Tagesordnung sind, ist es wichtig, einen neuen Blick auf dieses Thema zu lenken.

Aus meiner Praxiserfahrung:

Da ich darin geschult bin, Bewegungen zu analysieren, habe ich über die Jahre festgestellt, dass im Allgemeinen mit viel zu großer Anspannung in den Leisten gearbeitet wird, wo sich auch Haltemuster zeigen. Dies führt zu Rückenbeschwerden – bzw. umgekehrt führen Rückenbeschwerden zu Haltemustern in den Leisten. Wir dürfen also auch hier lernen, mehr loszulassen. Dies kann nur dann geschehen, wenn die Kraft nicht zentrumsnah initiiert wird, sondern möglichst weit entfernt, in der Peripherie.
Setzt die Kraft in den Füßen an, können die Leisten gelöst bleiben. Der Grad der Spannung, den wir dann in den Leisten spüren, ist keine verkürzte Verspannung, sondern die Spannkraft, die jetzt durch sie hindurch ziehen kann. Dies bedeutet Durchlässigkeit. Bewegungen, die mit dieser Durchlässigkeit ausgeübt werden, sehen geschmeidig, leicht und verbunden aus. Der Körper kann wieder in seiner Ganzheit wahrgenommen werden. Und je klarer unser Körper ist, desto klarer ist auch unser Geist.

Ein kleiner, doch wichtiger Exkurs:
Die Leisten leisten viel

Unsere Leisten sind eine natürliche Schwachstelle. Am Leistenband treffen zwei gegensätzlich verlaufende Kraftlinien aufeinander: Die am Schambein ansetzenden Abdominalmuskeln ziehen das Schambein nach oben und die am Darmbeinstachel ansetzenden Oberschenkelmuskeln ziehen nach unten.

Während des Knochenwachstums dienen die Knochenvorsprünge den weichen Gewebestrukturen als Ansatzpunkt, an denen sie in der Embryonalentwicklung anhaften. Hier beginnen sich die Kraftlinien zu etablieren, an denen entlang sich später die Spannkraft aufbaut.

Knochen sind nicht punktuell über Bänder und Sehnenstrukturen mit Knochen verbunden. Vielmehr durchzieht unseren gesamten Körper das embryonale Bindegewebsnetz. Die einzelnen Abteilungen oder Beutel dieses Netzes werden entsprechend ihrer Funktion sukzessive ausgefüllt. So setzt eine Sehne (Faszie) nicht einfach nur an einem Punkt eines Knochens an, sondern verschmilzt mit der Knochenhaut, dem Periost (ebenfalls eine Faszie). Kräfte können jetzt von unterschiedlichen Richtungen ziehen und geben im Normalfall unserem Körper über die Tensegritätsarchitektur eine enorme Stabilität bei gleichzeitiger Flexibilität.

Durch die Rotation der Fersen öffnen sich die Leisten, das heißt, unser Leistenband rechts und links dient der Verbindung dieser beiden unterschiedlich wirkenden Zugkräfte. Es kommt zu einer Länge bei der Aufrichtung des Beckens durch die Innenrotation und dem Kippen des Beckens in der Außenrotation. Bei beiden Bewegungen des Beckens bleiben die Leisten durch die Rotation geöffnet und somit kann die Spannkraft weiterhin fließen und der Länge nach kräftigend wirken.
Ohne Rotation werden die Leisten geschlossen. Jetzt treffen die unterschiedlichen Kräfte am Leistenband aufeinander und ziehen in die jeweils gegensätzliche Richtung. In dieser empfindlichen und auch anfälligen Körperregion, in der unter anderem Lymphknoten, der Leistenkanal, Venen, Arterien und Nerven sitzen, entsteht so unnötige Spannung und Belastung.

3. HEBELWIRKUNG – DAS SPIEL ZWISCHEN SCHWERKRAFT UND AUFTRIEB

Wir leben mit den Gesetzen der Gravitation. Dies bedeutet, dass wir uns ständig an das sich kontinuierlich verändernde Verhältnis vom Körper zur Schwerkraft anpassen. Unser Nervensystem ist somit permanent damit beschäftigt, den Körper im Raum zu bestimmen. Die Informationen zu unserer Körper-Raum-Orientierung erhält es unter anderem über die Propiorezeptoren, die in den Faszien, Gelenken, Muskeln und der Haut liegen. Zum Glück laufen diese Prozesse weitestgehend automatisch ab.

Die ständige Einwirkung der Schwerkraft hinterlässt Spuren und kann unseren Körper mit den Jahren erheblich beanspruchen und belasten. Vor allem dann, wenn wir uns aufrecht und gerade halten. Die Betonung liegt hierbei auf „halten". Ich sehe immer wieder, wie sich Menschen von der Erde wegdrücken – Füße, die sich am Boden festkrallen, durchgedrückte Knie, bis zu den Ohren hochgezogene Schultern. Es scheint, als wollten sie sich geradezu mit aller Macht gegen die Schwerkraft stemmen – sich muskulär aufbäumen. Dies führt zu extremen Verspannungen, Festhaltemustern und letzten Endes zu Haltungsschäden.

Hingabe heißt Loslassen. Und Loslassen heißt Vertrauen. Achten wir auf unser Tragesystem, öffnen wir unsere Gelenke und erlauben wir der Schwerkraft, durch uns hindurch zu wirken – ohne unnötig festzuhalten, entsteht Durchlässigkeit und Leichtigkeit.

Wenn wir verstehen, wie wir jetzt die Spann- und Hebelkräfte unseres Körpers einsetzen und für uns nutzen können, um uns ökonomisch zu bewegen, mit möglichst wenig unnötig gehaltener Kraft und Spannung, so verbessern wir die Effizienz unseres Energiehaushaltes entscheidend. Dies kann durchaus eine Modifizierung alter Muster bedeuten – auf ganzer Linie.

Es entsteht ein Gefühl von Leichtigkeit im Körper. Wir können wahrnehmen, wie leicht wir uns aufrichten – ohne zusätzlich aufgewendete Muskelkraft. Diese Leichtigkeit kommt einem Auftrieb gleich, der fast von selbst zu geschehen scheint. Denn jede Bewegung ist eine Frage der Balance zwischen dem Nachgeben oder Loslassen und dem Kraftaufwand gegenüber diesem abwärts gerichteten Zug der Schwerkraft. Der Auftrieb ist dagegen eine aufwärtsgerichtete Leichtigkeit, die sich einfach zu entfalten scheint.

Im Wasser können wir den Auftrieb leicht wahrnehmen. Dabei wirkt auch dort die Schwerkraft. An Land kehrt sich dieses Verhältnis nahezu um. Wir denken vorwiegend an die Widrigkeiten der Schwerkraft, gegen die wir Kraft aufwenden müssen. Dabei können wir es uns sehr viel leichter machen und bestimmte Kräfteverhältnisse im Körper einsetzen, um auch hier den Auftrieb zu spüren.

Aus meiner Praxiserfahrung:

Gerade im Sitzen am Boden zeigt sich, wie sehr unsere Rückenmuskulatur arbeiten muss, wenn wir uns ohne die Hebelkraft der Beine aufrichten wollen, uns – so scheint es – gegen die Schwerkraft aufrecht halten. Unter diesen Voraussetzungen, kann von einer Bewegung im Rücken wohl kaum gesprochen werden.
Anders verhält es sich, wenn wir in der Faszien-Rotation die Beine als Hebel einsetzen, um unseren Rücken aufzurichten, etwa in der Bewegungssequenz „Energiekelch". Wir sitzen am Boden, die Fußsohlen liegen vor dem Körper aneinander, die Knie sind 90 Grad gewinkelt. Die Fersen bewegen sich nun kraftvoll nach unten in die Erde hinein. Gemäß der einfachen Formel: „Wenn sich etwas nach unten bewegt, dann erhebt sich gleichermaßen etwas nach oben" entsteht eine Aufwärtsbewegung des Brustbeins. Ziehen wir jetzt

noch die Fersen auf dem Weg nach unten zu uns, als ob sie sich unterirdisch zu unserem Schambein hinbewegen, haben wir es mit diametralen Vektoren zu tun: Die Füße ziehen nach unten zum Körper, das Brustbein bewegt sich nach oben und nach vorne. Durch die Bewegung der Fersen in die Erde hinein wird das Becken gekippt, die Leisten somit geöffnet. Das Brustbein hebt sich mit Leichtigkeit an. Der Rücken wird entlastet und kann sich entspannt aufrichten. Wir erfahren Auftrieb.

Gleiches gilt für eine meiner Lieblingsbewegungssequenzen zur Entspannung der Rückenmuskulatur, der Psoas-Längung: Zum Auf- und Abrollen nutzen wir unser angewinkeltes Knie als Hebel, in dem wir uns sozusagen daran hängen, statt uns wie üblich über die Kraft unserer Bauchmuskeln auf- und abzurollen.

Diese Leichtigkeit im Körper ist ein Hinweis darauf, dass wir uns effizient und ohne unnötigen Kraft- und Energieaufwand bewegen. In diese Leichtigkeit hinein erstrahlt dann oftmals ein Lächeln im Gesicht.

4. DIE ROTATION DER FÜẞE BZW. DER HÄNDE

Mit „Rotieren" meine ich hier eine korkenzieherähnliche Bewegung: eine Art Drehen oder Schrauben durch das Fuß- bzw. Handgelenk ins Erdinnere hinein, in die eine bzw. (bei den Fersen) auch in die andere Richtung.

Rotationsbewegungen sind für unseren Körper ganz natürlich. Es sind dynamische Drehbewegungen um ein Zentrum. Die Rotationsachse kann innerhalb eines Gelenkes liegen. Wird von der Rotation der Hände und Füße gesprochen, impliziert dies normalerweise eine Einwärtsdrehung (Pronotation) oder Auswärtsdrehung (Supination). Diese entstehen nur durch Drehbewegungen benachbarter Gelenke. So ergibt sich etwa die Supination oder Pronotation der Hand durch eine Drehung des Unterarmes.

Im Zusammenhang mit Faszien-Rotation ist davon keineswegs die Rede. Es verhält sich genau umgekehrt. Die Drehbewegungen selbst finden im Fußgelenk bzw. Handgelenk statt, werden dort initialisiert und ziehen sich entlang der Kraftlinien über fasziale Verbindungen durch unseren Körper hindurch. Ihre stabilisierende Wirkung zeigt sich an ganz anderer Stelle.

In Faszien-Rotation werden durch die Rotationen die einzelnen Segmente unseres Körpers in ein ausgewogenes Verhältnis zueinander gebracht. Die Rotationen bringen Stabilität und Integration in unsere Artikulationen – eine grundlegende Voraussetzung für die Durchlässigkeit in unserem Körper. Durch die Rotationen der Füße bzw. Hände respektieren wir das nicht geradlinig angelegte, sondern leicht gedreht angelegte Muster unserer Muskeln. So haben wir die Möglichkeit, unsere zentral gelegenen Gelenksverbindungen zu stabilisieren und zu integrieren und in ihrem jeweiligen Bewegungsmodus zu unterstützen.

Die Rotation der Füße stabilisiert unser gesamtes Becken über eine Aktivierung der Faszienzüge, an denen die Psoas-Muskeln kräftegebend beteiligt sind. Ein in seiner Funktion eingeschränkter Psoas hat sehr nachteilige Auswirkungen auf die gesamten Faszienzüge und trägt zu vielen Beschwerdebildern bei. Gerade diese Psoas-Muskeln werden bei der Rotation der Füße angesprochen. Normalerweise sollten sich unsere Psoas-Muskeln weich und geschmeidig anfühlen. Allerdings ist dies bei den wenigsten Menschen der Fall. Meist ist diese Muskelgruppe drahtseilartig dauerangespannt und verkürzt. Es ist schwer, den Psoas (beide Stränge) von außen über manuelle Körperarbeit zu lösen. Durch die Rotation der Füße ist dies allerdings relativ leicht und schmerzfrei möglich. Unterschiedlich arbeitende, verkürzte, verhärtete oder verletzte Muskelstränge erhalten über die Innen- und Außenrotation der Ferse sanfte Bewegungsimpulse, die sowohl sie, als auch den gesamten unteren Rücken lösen und kräftigen. Gleichzeitig haben diese Bewegungen eine massierende Wirkung auf die Organe im Bauchraum und unser Zwerchfell.

Durch die Rotation können wir jederzeit aktiv für die Durchlässigkeit unseres Körpers sorgen, selbst im Alltagsgeschehen. Unser Brustbein und unser Schultergürtel werden über die Rotation der Hände aktiviert: Auf der Erde oder gegen eine Wand lehnend, auf einer Tischplatte, beim Fahrradfahren am Lenker usw.. Dabei werden häufige Verklebungen der Faszien im gesamten Brustkorb und den Armen aufgelöst. Es können sich auch Verspannungen in der Region rund um den Trapezmuskel lösen. Der gesamte Bereich unseres Schultergürtels wird ausbalanciert und stabilisiert. Über die Rotation der Hände werden die Arme in ihrem jeweiligen Schultergelenk wieder integriert. Dies wird vor allem dann sichtbar, wenn eine Verletzung, eine Verhärtung oder sonstige Torsion vorliegt.

Die Schultergelenke öffnen sich, die Schulterblätter nähern sich dem Rücken an und das Brustbein beginnt zu „strahlen", es öffnet sich nach vorne. Wenn wir jetzt ein Gewicht in unseren Händen tragen, wird es über die geöffneten Gelenke weitergegeben und belastet diese nicht unnötig.
Jegliche Körperübungen, z. B. im Vierfüßlerstand, erfahren eine ganz neue Dimension, wenn wir mit geöffneten, über die Rotation der Hände initiierten Schultergelenken arbeiten. Gleiches gilt für Handstände oder alle Bewegungsmuster, bei denen wir das Gewicht in unsere oberen Extremitäten verlagern und die Kraft der Arme nutzen.

Da die Rotationen aus der Peripherie stattfinden, kann unsere Körpermitte weitestgehend entspannt bleiben. Lediglich Spannungskräfte, die durch die Rotationen entstehen, werden auch hier spürbar.

Und so sieht Rotation ganz konkret aus:

DIE ROTATION DER FÜßE

Wir stellen unsere Füße parallel und hüftbreit auf die Erde, unsere Zehen befinden sich auf einer Linie und unsere Knie sind entriegelt. Wir stellen uns vor, wie wir mit der Erde verbunden sind. Hierzu gibt es viele phantasievolle Möglichkeiten, über Visualisierung oder Übungen aus anderen Körperarbeitsmethoden gut in die Erde hinein zu spüren, um eine entsprechende Sensibilisierung zu erreichen.
Ich arbeite gerne mit dem Bild eines Baumes, der seine Wurzeln tief ins Erdinnere und über seine Verästelungen in die Weite wachsen lässt. Diese Wurzeln geben dem Baum Stabilität, Kraft, Nahrung und Energie. Gleiches lässt sich auch auf uns und unsere Verwurzelung übertragen, wenn wir gut geerdet sind.

Eine weitere Vorstellung, mit der ich gerne spiele, ist die Idee, im Sand am Wasser zu stehen und Stück für Stück ganz sanft tiefer in den weichen Sand einzusinken.
Gleich welches Bild wir wählen: Es kommt einzig darauf an, gut geerdet zu sein. So können die Rotationen virtuell „unter der Erde" ausgeführt werden – mit einer entsprechenden Gegenkraft. Dieser Bewegungsimpuls spielt sich nicht auf der Oberfläche ab, sondern tief im (Erd-)Inneren, gut verankert. Dabei entwickelt sich eine Bewegungskraft, die nicht nur subtil sichtbar, sondern, wichtiger noch: spürbar ist.

Zum anfänglichen Üben bietet es sich an, eine Hand auf das Schambein, die andere auf das Steißbein zu legen, um die jetzt entstehende leichte Bewegung zwischen den Händen wahrzunehmen. Wir können – vielleicht noch nicht sofort – spüren, wie das Becken zwischen unseren Händen sanft vor und zurück schaukelt – im Rhythmus der Rotation der Füße. Die Fersen rotieren – unterirdisch – nach Innen, so dass sich das Becken aufrichtet und unsere Hand hinten am Steißbein/Kreuzbein leicht nach unten sinkt. Rotieren die Fersen – unterirdisch – nach außen, kippt das Becken und es entsteht eine Art Enten-Po, die Hand vorne am Schambein sinkt leicht nach unten. Wie geschieht dies? Betrachten wir die einzelnen Möglichkeiten des Rotierens einmal genauer.

DIE INNENROTATION DER FERSEN IM STAND:

Die Fersen rotieren nach innen ▸ die entriegelten Knie drehen sich innerhalb des Gelenkes leicht nach außen ▸ die Oberschenkelknochen drehen sich sanft nach außen ▸ der jeweilige kleine Trochanter (Rollhügel) dreht sich nach vorne ▸ Impuls auf den jeweiligen Psoas-Muskelstrang ▸ das Becken richtet sich auf ▸ die Sitzbeinhöcker bewegen sich nach unten/innen/vorne ▸ der Beckenboden schließt sich.

DIE AUßENROTATION DER FERSEN IM STAND:

Die Fersen rotieren nach außen die entriegelten Knie drehen sich innerhalb des Gelenkes leicht nach innen ▸ die Oberschenkelknochen drehen sich sanft nach innen ▸ der jeweilige kleine Trochanter dreht nach hinten ▸ Impuls auf den jeweiligen Psoas-Muskelstrang ▸ das Becken kippt ▸ die Sitzbeinhöcker bewegen sich nach oben/außen/hinten ▸ der Beckenboden weitet und dehnt sich.

So kann allein über die simple Rotation der Füße unser Becken stabilisiert und bewegt werden, ohne dass es unter Anspannung gehalten werden muss. Sobald die Bewegungen unseres Beckens über die Rotation der Füße entstehen, werden sie nicht isoliert, sondern im gesamten Körper integriert wahrgenommen.

Ein kleiner Exkurs:
Faszien-Rotation versus Beckenboden-Gymnastik

Unseren Beckenboden betrachten wir oftmals als abgesondert, wir grenzen ihn aus, nehmen ihn allenfalls bei Beschwerden als nah wahr. Bei Faszien-Rotation hingegen arbeiten wir ganz ausdrücklich mit unserem Beckenboden – und zwar auf natürliche, selbstverständliche und unausgesprochene Art und Weise.

Unser Beckenboden ist wie eine Hängematte zwischen unseren Sitzbeinhöckern aufgespannt, zieht sich am Steißbein nach innen etwas in die Höhe und dockt vorne am Schambein an. Er ist durch drei, in unterschiedliche Richtungen zeigende und ziehende Muskelzüge sehr stabil und gleichzeitig flexibel. Dabei unterscheiden sich das männliche und weibliche Becken enorm in ihrer äußeren, der Funktion entsprechenden Form. Während das männliche Becken schmaler ist, die Sitzbeinhöcker enger zusammenstehen und sich das Steißbein auch weiter nach unten/vorne in die Beckenhöhle hineinzieht, zeigt sich das weibliche Becken breiter und bietet eine weiter geöffnete Form. Denn es ist auf das Gebären ausgerichtet. Zudem weist der männliche Beckenboden über den Anus nur eine Öffnung auf, der weibliche Beckenboden hingegen über den Anus, die Vagina und die Harnröhre drei Öffnungen. Im Allgemeinen ist der Beckenboden bei Männern eher fest und könnte flexibler sein. Der Beckenboden bei Frauen zeigt normalerweise eine höhere Flexibilität und – vor allem nach Geburten – eine geringere Stabilität.

Fazit:
Auch bezüglich des Beckenbodens wünschen wir eine gute Ausgewogenheit zwischen Stabilität und Flexibilität. Dazu trägt Faszien-Rotation über die Innen- und Außenrotation unserer Fersen bei. Die Innenrotation bringt mehr Stabilität, die Außenrotation sorgt für Flexibilität unseres Beckenbodens.

Doch wie sieht es beim Ausgleich zwischen Stabilität und Flexibilität in der herkömmlichen Beckenbodengymnastik aus? Oft wird hier vermehrt die Stabilität des Beckenbodens trainiert, um möglicher Harninkontinenz, Gebärmuttersenkung, einem schlaffen Muskelgewebe oder ähnlichem vorzubeugen bzw. diese zu therapieren. Männer bekommen meist nach einer Prostataerkrankung oder bei Erektionsstörungen die Beschäftigung mit ihrem Beckenboden ärztlich verordnet. Auch hierbei liegt das Hauptaugenmerk auf der Stabilität ihres Beckenbodens. Spannkraft – auch im Beckenboden – kann jedoch nur trainiert werden, wenn beide Bewegungsrichtungen (zum Teil auch gleichzeitig) angesprochen und aktiv herbeigeführt werden.

> *Nachtrag*
> *Ich arbeite oft mit Urologen zusammen und nach meiner Erfahrung haben Männer eher ein kritisches Verhältnis zu ihrem Beckenboden. Meist scheint er ausgeblendet und gilt im Allgemeinen als Frauendomäne. Doch die männliche Potenz hängt zum Teil direkt am Beckenboden. Es lohnt sich also für beide Geschlechter, sich des Beckenbodens bewusst zu sein und aktiv dessen Spannkraft zu stärken.*

Außerdem haben Männer allein durch die Anatomie ihres Beckens im Allgemeinen größere Schwierigkeiten, ohne abstützende Hilfe ganz aufrecht mit lang gestreckten Beinen auf der Erde zu sitzen. Dies hängt alleine von der Flexibilität des Beckenbodens ab. Da wir bei Faszien-Rotation lernen, über die Rotation unserer Füße unsere Beckenbewegungen auszulösen bzw. sie zu unterstützen, wird sogar das Sitzen zu einem dynamischen Vorgang. Durch die aktiv einsetzbare Kraft, die aus der Fußrotation entsteht, erfahren wir uns aktiv selbstwirksam bei der Ausrichtung des Beckens zum Sitzen (= Kippen des Beckens).

Wenn wir auf dem Boden sitzend, kniend oder auf dem Bauch liegend arbeiten, können wir nicht unsere gesamte Fußsohle aufsetzen. Deshalb zeigt sich die Rotation der Füße an dieser Stelle leicht abgewandelt: Die Außenrotation wird über die Fersen oder Außenkanten unserer Füße in die Erde hinein initiiert, die Innenrotation über die Zehen bzw. den Spann.

Die Rotation der Hände
Wir legen unsere Hände parallel und schulterbreit an die Wand, auf eine Tischkante oder (falls wir am Boden arbeiten) auf die Erde; die Fingerspitzen legen wir ungefähr auf Höhe unserer Schultern. Wichtig: Unsere Ellbogen bleiben gelöst.
Wieder – wie bei den Füßen – „verwurzeln" wir uns mit der Wand, dem Tisch oder der Erde und rotieren unsere Handballen korkenzieherähnlich, „unterirdisch" nach innen (die Fingerspitzen nach außen).

Was passiert hierbei?

> *Die verankerten Handballen rotieren nach innen, die Fingerspitzen nach außen ▸ die Ellbogen beschreiben eine leichte Bogenbewegung nach innen ▸ die Schultern öffnen sich (die Schulterblätter gleiten nach unten/innen/vorne) ▸ die Schlüsselbeine ziehen nach hinten ▸ das Brustbein bewegt sich sanft nach vorne.*

Über diese Rotation der Hände wird also unser gesamter Schultergürtel stabilisiert und das Brustbein geöffnet. Bei den Bewegungssequenzen im Stand ist es jetzt möglich, das darunter liegende Tragesystem über die Rotation der Füße bewusst einzusetzen. Bei den Sequenzen am Boden gehören die Hände oftmals schon direkt zum Tragesystem.

Wenn es um die Rotation der Hände geht, wird immer nur die Innenrotation der Handballen – nur eine Rotationsrichtung! – angesprochen. Nur dadurch wird ein Öffnen und Weiten im gesamten Brustkorb und im Schulterbereich spür- und sichtbar. Das oftmals darunterliegende emotionale Potential unseres möglicherweise gestauten, eingeengten oder verletzen Brust- bzw. Herzraumes kann an die Oberfläche gebracht werden.

Das Öffnen, Weiten und Ausdehnen unseres Brustraumes ist ein nicht zu unterschätzender Prozess. Oftmals zeigen sich gerade hier Tendenzen unserer Faszien, die sich gerne ent-kleben, ent-drehen und längen möchten. Gerade alte Emotionsmuster, die mit Angst und Traurigkeit zu tun haben, ziehen unser Herz zusammen, lassen unsere Schultern nach vorne hängen oder fest nach oben ziehen. Unser Körper spricht Bände und zeigt unsere innere Befindlichkeit durch Haltungen. Wir erinnern uns: Haltungen führen auf Dauer stets zu Schäden.

5. DAS KRAFTVOLLE LÄNGEN

Das Prinzip die Muskeln zu längen, statt sie nur zu dehnen, macht einen großen Unterschied. Wenn wir einen Muskel dehnen, modifizieren wir nicht die Qualität, das Wesen seiner Länge, wir verändern ihn nicht von innen heraus. Wir gebrauchen lediglich andere Muskelgruppen, unser eigenes Körpergewicht oder eine mechanische Kraft, um ihn für eine kurze Dauer zu beeinflussen. Dabei handelt es sich um eine Kraft von außen, die mit dem eigentlichen Muskel wenig zu tun hat und seine Länge nicht nachhaltig verändert. Ist der Muskel zudem verspannt, kann er unter Dehnung sogar weiter verhärten.

Jeder Mensch zeichnet sich durch Bewegungsmuster aus, die typisch für ihn sind. Unsere ganz eigene Individualität wird Dank einer Form von innerer Spannung aufrechterhalten. Das wird vor allem deutlich, wenn unser gesamter Muskeltonus durch eine Vollnarkose herabgesetzt wird und unsere Körperglieder schlaff an uns herunterhängen. Sobald die Wirkung der Narkose aufhört, „erinnert sich" unser Körper an den vorherigen Spannungszustand und greift auf die alten Spannungsinformationen zurück. Et Voilá: Wir sind in unserer vorherigen Weise für alle wieder erkennbar – auch in der Art unserer Bewegung. Nach einer Dehnung passiert in unserem Körper das Gleiche. Durch ein perfektes Feedback-System im Gewebe – eine Art Gewebserinnerung – findet unser Muskelgewebe wieder zurück zu seiner Ausgangsposition.

Beim kraftvollen Längen verhält es sich anders. Die Muskelregion, bei der eine Modifikation des ursprünglichen Lageverhältnisses vorgenommen wurde, gewinnt an Kraft und ist nachhaltig fühl- und sichtbar länger.

Unsere Muskeln müssen sich bewegen, um vital, sprich aktionsfähig und gesund zu bleiben. Denn wenn sie arbeiten, erhöhen sich die Sauerstoff- und Nährstoffmenge und deren Verbrauch um ein Vielfaches – unsere Muskeln sind hinsichtlich des Stoffwechsels das mit Abstand aktivste Organ. Diese Tatsache ist bei der Problematik chronischer Muskelverspannungen zu beachten. Denn auch ein unter ständiger Spannung ziehender Muskel wird genauso versorgt wie ein aktiv trainierter Muskel. Letzten Endes verbrauchen diese chronisch verspannten, aktiv ziehenden Muskeln die Reserven des übrigen Körpers – ein Teufelskreis.

Das heißt: Jede Einschränkung auf der Ebene des Muskelsystems schwächt und hindert immer auch den gesamten Organismus. Rhythmisches Verkürzen und Verlängern unserer Muskeln unterstützen die eigene Durchblutung. Aktive Muskeln wirken wie eine Pumpe und fördern Flüssigkeiten durch die Gefäße und den interzellulären Kreislauf.

Beim kraftvollen Längen wenden wir eine besondere Technik der Faszien-Rotation an. Ein und dieselbe Muskelregion wird hierbei zuerst über den Aufbau von Spannkraft in Dehnung gebracht, während dieser Dehnung kontrahiert und anschließend sanft gelöst. Dieselben Muskeln werden also gleichzeitig gedehnt und kontrahiert und führen zwei gegensätzliche Kräfte in konträrer Richtung aus. Die Durchblutung wird dabei angeregt.

Das anschließende Lösen ist ein Prozess, bei dem sich verklebte Faszien entrollen können. Verspannungen, Blockaden und Dysharmonien werden ausgeglichen. Die Struktur verändert sich von innen heraus und die Muskelregion wird gelängt – und zwar nachhaltig.

Auf diese Weise wirkt die Arbeit des kraftvollen Längens chronischen und Kraft vergeudenden Muskelkontraktionen erfolgreich entgegen.

6. BEWEGUNGSANSATZ UND BEWEGUNGSRICHTUNG

Klarheit im Körper bringt Klarheit im Geist. Deshalb ist es wichtig, dem Körper möglichst klare Bewegungsanweisungen zu geben. Der Bewegungsansatz liegt immer im Körper, die Bewegung richtet sich nach außen. In Faszien-Rotation wird darauf geachtet, auch hochkomplexe Bewegungssequenzen durch einfach nachzuvollziehende Handlungsanweisungen auszuführen. Wie Mosaiksteinchen setzen sich die einzelnen Bewegungsimpulse zusammen und ergeben den Gesamtprozess einer Bewegungssequenz.

Schauen wir die Fotos einzelner Bewegungssequenzen an, erahnen wir nicht die Gleichzeitigkeit aller in der Sequenz beschriebenen Einzelimpulse und die Genauigkeit ihrer

Richtungen. Ich spreche hier ganz bewusst von „Bewegungssequenzen" und nicht von Übungen. In den Bewegungssequenzen beachten wir die Reihenfolge von unten nach oben, in der wir die einzelnen Ausrichtungen und Kraftlinien aufbauen und Spannkraft entwickeln.

Deshalb wird hierbei akribisch auf den Bewegungsansatz und die Raumrichtung Wert gelegt.

Bewegungsansatz: Wo genau beginnt die Bewegung?
Bewegungsrichtung: Wohin genau bewegt sich entsprechendes Körperteil?

Dabei geht der Bewegungsansatz immer von einem Gelenk bzw. von einer knöchernen Struktur aus.
Knöcherne Strukturen geben unserer Bewegung Klarheit und sind linear. Je genauer und punktueller der Bewegungsansatz und die Bewegungsrichtung beschrieben werden, desto klarer wird die Ausrichtung innerhalb der Bewegung ausführbar.

Aus meiner Praxiserfahrung:

Es macht einen großen Unterschied beispielsweise für die Schultergelenke, ob in der Bewegungssequenz „Trapez-Längen" die Ellbogen nach vorne ziehen oder ob die Bewegungsrichtung von den Schultern ausgeht. Ziehe ich von den Ellbogen aus, öffnen sich die Schultergelenke. Lasse ich hingegen die Bewegung aus den Schultern geschehen, werden diese eng.

Selbst in einer mit dieser Arbeit erfahrenen Gruppe, wiederhole ich die Bewegungsimpulse immer und immer wieder. Je klarer und einfacher meine Beschreibungen sind, desto leichter kann der Körper meinen Worten folgen. Wir bleiben also mit unserem Körper verbunden, statt intellektuell zu folgen.
In der Praxis zeigt sich, wie schnell auch hochkomplexe Abläufe nachvollzogen werden können.

7. DIE NATÜRLICHE ATMUNG EINES ENTSPANNTEN KÖRPERS

Atmen ist Bewegung. Und Bewegung ist Leben. Unsere Atmung und unsere Fortbewegung haben sich gleichzeitig entwickelt. Deshalb stehen Atmung, Gleichgewicht und Koordination in einer engen Wechselbeziehung miteinander.
Unser Atemrhythmus repräsentiert unsere Befindlichkeit. Er ist der Spiegel unseres Lebensrhythmus. Je entspannter wir atmen, desto größer ist unsere emotionale Ausgeglichenheit. Gleichmäßige und volle Atemzüge versorgen unser Gehirn mit genügend Sauerstoff und steigern unsere Vitalität.

Unsere Atmung ist archaisch, elementar, organisch und lebenserhaltend. Unsere Atmung wird uns nicht beigebracht. Sie ist eine Eigenbewegung, die oftmals durch Ursachen behindert wird, die mit der eigentlichen Funktion wenig zu tun haben. Bei Anstrengung oder Schmerzen atmen wir unzureichend, anti-rhythmisch, oberflächlich oder stockend. Fasziale Verspannungen, Verklebungen oder Verkürzungen können Ursache und natürlich auch Folge sein. Damit unser Atemfluss zu seiner natürlichen und entspannten Bewegung findet, sollte er befreit werden. Ist das Gewebe elastisch, können wir wieder tief durchatmen.

Gerade in unseren Zwischenrippenmuskeln kann es schnell zu kleinen Verklebungen kommen, wenn wir beispielsweise erkältet sind, eine Rippe nicht richtig sitzt oder wir stressbedingt zu einer flachen Atmung neigen. Langes Autofahren, langes Sitzen, ein zu enger Hosenbund, permanentes Einziehen des Bauches, Narbengewebe nach einer Operation oder Verletzung, Dysbiosen oder andere Gesundheitsprobleme des Darmes etc. wirken sich ungünstig auf unsere Psoas-Muskeln und damit auf unser Zwerchfell aus. Da diese eng miteinander in Verbindung stehen, können sie Spannungen in die eine wie in die andere Richtung übertragen. Auch hierdurch kann es zu Einschränkungen unserer Atmung kommen.

Unser Zwerchfell ist eine Muskel-Sehnenplatte, die unter anderem an unserer Lendenwirbelsäule ansetzt. Spannungen, die von hier ausgehen, können sogar an einer Verkrümmung der Wirbelsäule mitwirken, so dass sich beispielsweise eine Lordose (Hohlkreuz) chronifiziert. Selbst psycho-emotionale Stresszustände induzieren Störungen unserer Atmung und führen in der Folge bis hin zu massiven Bewegungseinschränkungen.

Kontraktionen jeglicher Art sorgen für Enge jeglicher Art. Es gilt deshalb, auf allen Ebenen für Weite und Raum zu sorgen. Denn nur über Ausdehnung können wir erfahren, wohin unser Atem fließt und wie er uns wirklich erfüllen kann.

Unser Atem durchströmt unseren Körper wie ein Fluss. Er kann nur innerhalb der Formen frei fließen, die sich biographisch in unseren Körper eingeschrieben haben. Ist dieses Flussbett zu eng und blockiert, kann das Wasser nicht gleichmäßig und ruhig fließen. Konzentrieren wir uns jedoch allein auf den Fluss, können wir nur mit enormem Aufwand und kurzzeitig seine Fließgeschwindigkeit erhöhen.
Je entspannter der Körper wird, das heißt: Je mehr sich die Spannkraft ausbalanciert und harmonisiert, je mehr wir die Schwerkraft wahrnehmen und sich ein Loslassen auch in emotionaler und kognitiver Hinsicht vollzieht, desto näher kommen wir unserem natürlichen, inhärenten Atemfluss.

Faszien-Rotation ist ein hochwirksames Tool, dem Körper Raum und Weite zu vermitteln. Dies ermöglicht ein freies, ganz selbstverständliches Fließen des Atems. Durch die Bewegungssequenzen von Faszien-Rotation weitet sich unser Brustkorb, die Zwischenrippenmuskulatur wird von möglichen Verklebungen gelöst und gekräftigt, verkürzte Körperregionen werden gelängt und alte Haltemuster verändert. All dies kommt der Tiefenatmung zugute – die dann wie von selbst eintritt.

Aus meiner Sicht macht es jedoch wenig Sinn, sich allein auf Atemtechniken zu konzentrieren. Vielmehr möchte ich Möglichkeiten zeigen, mehr Raum und Weite der weichen Gewebestrukturen und Unterstützung bei psycho-emotionalen Themen zu erfahren. Darüber hinaus spielen unsere Nahrung, unsere Wasserqualität und unser gesamter biochemischer Haushalt eine große Rolle. Auf all dies gilt es zu achten, wenn wir unsere Atmung in ihrer Vitalfunktion nachhaltig unterstützen wollen.

DIE FASZIE – EINBLICKE VERTIEFEN UND HORIZONTE ERWEITERN

DIE ERSTAUNLICHE VIELFALT UND FÄHIGKEITEN DER FASZIEN

„Das Bindegewebe ist das Notenpapier, auf dem die Noten eingetragen sind; Knochen-, Muskel- und Organsystem sind die Instrumente. Das Bindegewebe ist das Register: Es ist eine Datenbank für den Körper." [1]

Die Bewegung des menschlichen Körpers haben wir lange allein über das anatomische Konzept von Muskeln und Knochen beschrieben. Bei Untersuchungen am toten Körper wurde das Bindegewebe früher weitgehend außer Acht gelassen. So ergab sich ein sehr mechanisches und fragmentiertes Bild, das kontinuierliche Bewegungen in einzelne Abschnitte auftrennte. Zwar untersuchten die Wissenschaftler:innen Bewegung am sich bewegenden Körper. Doch sobald es um die dafür notwendigen Körperstrukturen ging, orientierten sie sich an dem alten Denkmuster vom Knochen-Muskel-Modell: Der Muskel verbindet zwei Knochen miteinander und sonst nichts. Wenn wir uns jedoch mit Bewegung und ihrer Physiologie beschäftigen wollen, hilft uns diese Betrachtungsweise nicht viel weiter.

Schauen wir uns einen Muskel nur für sich und isoliert von all seinen neurologischen und vaskulären Verbindungen sowie ihn einhüllenden Strukturen an, dann beschränken wir unsere Idee von Bewegung auf eine beziehungslos stattfindende Mechanik. Doch jeder Muskel ist in das Faszien-System eingebettet – und damit Teil eines großen Ganzen. Dieses große Ganze wollen wir in diesem Buch betrachten.

Nur wenn wir uns lebendige Körper in ihrer ganzen Bewegungsvielfalt anschauen, sehen wir, dass wir uns unablässig bewegen. Jede Bewegung, die wir vollziehen, hat auch auf unsere inneren Strukturen eine Wirkung. Und gleichzeitig pulsiert, pumpt, schwingt, strömt es kontinuierlich in uns mit Auswirkungen auf unseren gesamten Körper. So zeigt sich die ganze Gestalt von Bewegung allein über sämtliche miteinander verbundene Strukturen. Dabei spielen Zugspannung, Kräfteverhältnisse, Kraftlinien, Spannkraft, Verbindungen, Hebel, Richtungen und Kraftübertragung eine große Rolle. All diese wichtigen Aspekte von Bewegung nutzen wir in Faszien-Rotation. Während Muskeln elastisch sind, zeigt die Formbarkeit von Faszien eine räumliche Wirkung. Faszien zeichnen sich durch eine hohe Plastizität aus: Bewegt sich ein Körperteil, reagiert Dank des Bindegewebes immer der gesamte Körper darauf. Unsere Knochen geben dabei unserer Bewegung eine klare Richtung, weil Knochen eine viel härtere Struktur besitzen und damit Präzision vermitteln.
Erst durch die Faszien, dem größten Teil des Bindegewebes, ist unser Körper zu durchlässi-

gen und verbundenen Bewegungen fähig. Denn unsere Faszien verleihen unserem Körper Form und Gestalt. Es ist das Bindegewebe, das entgegen seiner Bezeichnung nicht nur als Zwischenstoff dient, sondern das wesentliche Körpergewebe ist, das erst alle Bewegungen und Funktionen ermöglicht.
Faszien stehen deshalb im Mittelpunkt dieses Buches – ihre einzigartige Vielfalt, ihre erstaunlichen Fähigkeiten. Faszien-Rotation zeigt uns bei diesem Weg eine Methode auf, all das Wissen und die Erfahrungen rund um die Faszien zu heilsamer Bewegung und für größere Lebendigkeit gezielt zu nutzen. Dies geht mit einer bewussten Wahrnehmung für unseren Körper und seine Bewegungen einher.

Zum besseren Verständnis spreche ich im Folgenden einzelne Muskeln, Knochen und Gelenke an oder benutze sogar das Bild von Körperabschnitten oder Körperteilen. In der Realität sieht es jedoch anders aus: Wir sind ein zusammenhängendes Ganzes, verbunden durch und durchdrungen von Faszien.

FASZINATION FASZIEN

Seit 1994 unterrichte ich diese Bewegungsarbeit, zuerst unter dem Namen „Dynamic RePatterning", ab 2005 „Bewegte Balance" und schließlich seit 2009 „Faszien-Rotation".
Die ersten gemeinsamen Faszien-Workshops mit einem funktionellen Mediziner und manuellem Faszien -Therapeuten (FDM), haben wir 2010 konzipiert. Diese Workshops richteten sich an Physiotherapeut:innen. Da mich das Thema „Faszien" schon seit sehr vielen Jahren fasziniert hat, stand der Titel für uns sofort fest: „Faszination Faszien". Ein paar Jahre später hat mich ein Teilnehmer meines Bildungsseminars darauf hingewiesen, dass die Bedeutung des Ursprungs „Faszination" den Faszien sehr ähnlich ist. „Fascinare" bedeutet so viel wie verbinden, bezaubern, verhexen. Mir scheint, ein Zauber bindet und verbindet, er ist der Stoff, an dem wir hängen. Gleiches machen die Faszien in unserem Körper: Sie verbinden, bündeln, umhüllen. Sie sind das Gewebe, an dem wir alle hängen, und durch dessen Umhüllungen auch der hydrostatische Druck aufrecht erhalten werden kann.

DIE FASZIE VERBINDET UND TRENNT, SCHÜTZT UND UNTERSTÜTZT

Der Begriff "Faszie" stammt aus dem Lateinischen und bedeutet so viel wie "Band" oder "Bündel" und beschreibt die Struktur dieses Bindegewebes. Alle Bewegungen zwischen Muskeln, Gefäßen, Nerven und Organen werden ständig durch das Faszien-Netzwerk koordiniert und synchronisiert. Daraus können wir einen neuen Zugang zu Informationen über unseren gesamten Organismus gewinnen, um differenzierter damit zu arbeiten. Es wird höchste Zeit, unser Augenmerk auf das Bindegewebe und damit auf die klar organisierten Richtungsverläufe der Faszien-Ketten zu lenken.

Faszien sind durchsichtige bis weiße Gewebehüllen. Sie überziehen und ummanteln die Knochen, alle inneren Organe und die Muskeln bis in die feinsten Muskelfaszikel. Als Kollagenfibrillen zieht sich das Faszien-Gewebe durch die Knochen und verleiht ihnen Stabilität und Belastbarkeit. Wir können dies mit dem Stahl im Stahlbeton vergleichen: Ein Knochen würde, ähnlich wie eine reine Betondecke ohne Stahleinlage, bei Belastung einfach durchbrechen.

Auch die Knochenhaut, das Periost, ist Teil des Bindegewebes; ebenso der Herzbeutel (Perikard), die Hirnhäute (Meningen) und alle weiteren Organhüllen und Häute, wie das Rippenfell (Pleura) und Bauchfell (Peritoneum). Selbst die Aufhängungen unserer Organe bestehen aus Bindegewebe. Diese sehr dünnen Bindegewebshäute sind sensibel, sehnenartig und verfügen über eine extrem hohe Strapazierfähigkeit. Zudem zählen alle Bänder und Sehnen zu den Faszien.

Das Bindegewebe fügt *„...einzelne Zellen zu Gewebe, Gewebe zu Organen, Organe zu Systemen zusammen."* [2]

Faszien bilden Übergänge zwischen ganz unterschiedlichen Strukturen im Körper und sind von Nerven und Kapillaren durchzogen. So verweben sich die Fasern von Muskeln an Sehnen, Sehnen an Knochen, ohne dass in den Übergangszonen eine klare Grenze erkennbar wäre. Wir können uns jetzt vielleicht besser diese langen, zusammenhängenden Anordnungen unterschiedlicher Form und Konsistenz vorstellen, wenn uns klar wird, wie die Sehnen am Periost, der gesamten Ummantelung eines Knochens, ansetzen und nicht an einem bestimmten Punkt. Auch von der Knochenhaut gestaltet sich der Übergang in die Bänder nahtlos weiter. Und so durchziehen diese Faszien-Ketten unseren Körper von unten nach oben und von innen nach außen – und jeweils auch umgekehrt. Je nach Gewebeart – ob Knochen, Muskel, Knorpel, Sehne, Band etc. – ist die Zusammensetzung und die Textur eine veränderte. Mal sind es mehr kristalline, mal flüssigere Komponenten, die dem Bindegewebe entsprechend der jeweiligen Funktion zugesetzt werden. Eine Matrix, die für das gesamte Grundgeflecht verantwortlich ist. Wir können uns einmal vorstellen, wie die inneren Organe pausenlos durch die Bewegungen der Muskeln und des Skeletts gedehnt, gefaltet und massiert werden.[3]

Das Faszien-Netz bleibt ein Leben lang bestehen und durchzieht unseren gesamten Körper von der Fußsohle bis zur Kopfhaut, von der Haut bis ins Rückenmark hinein. Deshalb haben sich die Teilnehmenden des ersten internationalen Faszien-Kongresses 2007 an der Harvard Medical School in Boston darauf geeinigt, nur von „der Faszie" zu sprechen. Lediglich um Körperstrukturen einfacher beschreiben zu können, benutze ich, wie die meisten meiner Kolleg:innen, auch den Plural.
Als Primäres Strukturorgan bilden Faszien den weitaus größten Teil des Bindegewebes. Das bedeutet, dass alle Gesetzmäßigkeiten und Wesensmerkmale, die für das Bindegewebe

gelten – anatomische, physiologische, biochemische – sich auch auf die Faszien anwenden lassen. Es ist die Verbindung aller Faszien, die für die vielfältigen Körpergestalten verantwortlich ist. Würden alle anderen Bestandteile unseres Körpers entfernt werden und lediglich unsere Bindegewebeanteile übrigbleiben, so würde unsere individuelle Gestalt immer noch dreidimensional abgebildet werden und wir in ihr erkennbar sein.

Im Embryo ist es in erster Linie das Entstehen der Bindegewebsstrukturen, das den Bauplan für das Wachstum der übrigen Körpermaße liefert. Ein Kollagen-Netzwerk durchzieht den heranreifenden Körper und formt die einzelnen Segmente beutelartig, die sich nach und nach durch andere heranreifende Gewebe füllen und Knochen, Organe, Muskeln und Systeme bilden.[4]

Einzelne Muskeln werden wiederum durch Zwischenwände (Septa) zu funktionellen Gruppen gegliedert. So wird ein Verschieben von Muskelgruppen gegeneinander möglich (mit einer eiweißreichen und salzigen Flüssigkeit dazwischen). Gleichzeitig trennen die einzelnen Umhüllungen die Organe voneinander, so dass ihre strukturelle Integrität bewahrt bleibt. Innerhalb ihrer Grenzen können sie sich bewegen, erhalten jedoch ihre jeweilige Form. Diese Organbewegungen wiederum unterstützen die Skelettbewegung und spiegeln gleichzeitig ihre innere Vitalität wider.

Faszien werden in drei Schichten eingeteilt:

OBERFLÄCHLICHE FASZIEN, TIEFE FASZIEN UND VISZERALE FASZIEN.

OBERFLÄCHLICHE FASZIEN

Die oberflächlichen Faszien liegen im Unterhautgewebe und bestehen insbesondere aus lockerem Bindegewebe, das unsere Organe, Muskeln und Drüsen umhüllt und als Lückenfüller und Puffer dient. Sie verbinden auch sämtliche Organe und Gewebe miteinander, speichern Fett und Wasser. Aufgrund ihrer hohen Dehnbarkeit ermöglichen sie ein Verschieben der Organe z. B. beim Verdauungsvorgang, beim Atmen, in der Schwangerschaft.

TIEFE FASZIEN

Die tiefen Faszien besitzen durch ihren hohen Kollagenanteil ein hohes Maß an Zugfestigkeit. Sie umhüllen unsere Knochen, Muskeln, Blutgefäße und Nerven. Zu den tiefen Faszien gehören auch unsere Bänder, Sehnen, Sehnenplatten und Gelenkkapseln. Darüber hinaus liegen in den tiefen Faszien zahlreiche sensorische Rezeptoren, die auf mechanische, thermische und chemische Reize reagieren. Aus diesem Grund wird das Faszien-System durchaus auch als Sinnesorgan bezeichnet.

VISZERALE FASZIEN

Die viszeralen Faszien bieten die stabilisierenden Organhüllen z. B. unsere Hirnhaut, unser Bauchfell, Brustfell, Herzbeutel und sorgen für eine gute Befestigung aller Organe an ihrem jeweiligen Platz in unserem Körper. Diese innerste Schicht ist am wenigsten flexibel.

DIE VIELFÄLTIGEN FUNKTIONEN DES BINDEGEWEBES

Die Bedeutung, die unser Bindegewebe in unserem Leben spielt, können wir gar nicht hoch genug einschätzen. Es stützt und trägt, dient der Kraftübertragung, dämpft und schützt mechanisch, wehrt biochemische und immunologische Gefahren ab, ist wichtiger Teil der Kommunikation im gesamten Körper und vieles mehr.

Ohne die Verbindungen aller Bewegungsübertragungsmechanismen, die durch das Bindegewebe entstehen, würde die Kontraktionskraft eines Muskels ins Leere laufen und verpuffen. Die relative Länge und Elastizität dieser Verbindungen bestimmt die Möglichkeiten unserer Beweglichkeit.

Das Bindegewebe ist, neben seiner Bedeutung für die Fortbewegung, für unser Überleben überaus wichtig – so dass es als ein eigenes lebenswichtiges Körperorgan betrachtet werden könnte. Alle funktionellen Zelleinheiten in unserem Organismus werden zuerst vom Bindegewebe miteinander verklebt und in optimaler Beziehung zueinander zusammengesetzt. Diese Architektur aus Höhlen und Kanälen zieht sich bis auf Zellebene und bringt eine Vielfalt und Vielschichtigkeit von ausgeklügelten und ausgereiften Formen hervor. Sie bietet ein Gefäß für jede einzelne Zelle und *„jeden Tropfen Flüssigkeit im Körperinneren"* *.[5] Sie vermittelt zwischen den verschiedenen Untersystemen unseres Körpers: Egal, ob es sich um das Blutgefäßsystem, das Nervensystem, um die Organe etc. handelt. Alle Prozesse innerhalb der Zelle und ihrer Austauschvorgänge sind auf die Kreislaufkanäle ihrer Umgebung angewiesen, die gleichermaßen vom Bindegewebe geformt und gestützt werden.

Da das Faserbett aller Flüssigkeiten, Organe, Knochen und Muskeln aus einem Gewebe entstanden ist und damit einen gemeinsamen Ursprung hat, werden die Bewegungen der einzelnen Strukturen miteinander abgeglichen und immer wieder synchronisiert. Unsere Bewegungen im Allgemeinen wirken zudem wie eine periphere Pumpe für die Lymphe und das Blut.

Selbst gegen die Ausbreitung der verschiedensten Toxine im Körper dienen die Umhüllungen des Bindegewebes als schützende physikalische und chemische Barriere. Und als System chemischer Botenstoffe stellt es mit seiner extrazellulären Matrix weiße Blutkörperchen, Antikörper, Hormone und andere Element unseres Immunsystems dem interstitiellen (Zwischenzellraum) Kreislauf zur Verfügung.

Es beherbergt die zentrale Reparaturwerkstatt des Körpers. Viele chemische Komponenten der Bindegewebsmatrix steuern die Entzündungsreaktionen. Die Fibroblasten (Bindegewebszellen) produzieren frisches Kollagen, um Wunden und Brüche mit neuem Narbengewebe zu schließen und haben damit die Schlüsselfunktion bei der Heilung von Verletzungen jeglicher Art.[6]

Die Anzahl seiner flüssigen, zellulären, faserigen und kristallinen Bauelemente macht das Bindegewebe extrem vielseitig: Es erscheint diffus und wässrig oder zäh und dehnbar. Doch je nach Funktion und Körperregion weist es lokal spezielle Merkmale auf: mit einer höheren Zugkraft als Draht in den Bändern und Sehnen, durchsichtig wie Glas in der Hornhaut der Augen oder verwandelt zu Knorpel unter Zusatz von Hyalin oder zu Knochen unter Zusatz von Mineralsalzen.[7]

Obwohl es stets dieselbe Substanz ist, zeichnet sich das Bindegewebe durch eine hohe Funktionsvielfalt und Formbarkeit aus.

Solange wir leben, befinden sich all diese Formen unseres Bindegewebes in einem Prozess stetiger Veränderung – besonders in der Wachstumsphase. Gestalt, Größe und Beschaffenheit aller struktureller Teile verändern sich ständig z. B. durch Verhärten und Lösen. Auch wenn dieser Vorgang sich nach dem Ende der kindlichen Entwicklungsphase zunehmend verlangsamt, bleibt er dennoch ein Leben lang wirksam.
Und so ist und bleibt jeder einzelne Bestandteil des Körpers mit jedem anderen über diese lebendige Matrix der Faszien verbunden.

DIE GRUNDELEMENTE

Denjenigen, die sich gerne eingehender mit der Materie der Matrixmoleküle, der retikulären Fasern oder der Aminosäurekompositionen des Kollagens befassen möchten, seien einige Fachbücher empfohlen. Einige nützliche Buchhinweise und Links finden Sie im Anhang.

Ich beschränke mich im Folgenden auf die Grundkonstruktion des Bindegewebes als ein aus Kollagen und Elastin gebildetes Gerüst, das locker in eine amorphe, transparente Grundsubstanz eingebettet ist. Denn ich möchte möglichst verständlich und anwenderfreundlich bleiben.

Die Bindegewebszellen heißen Fibroblasten und sind wahre Alleskönner. Als einzige Körperzellen besitzen sie die Fähigkeit, zu jedem Punkt des Körpers zu wandern und je nach Bedarf ihre Struktur zu verändern, um die benötigte Gewebeform zu erzeugen, die zu den jeweiligen örtlichen Verhältnissen passt. Diese Begabung zur regenerativen Tätigkeit besitzen sie ein Leben lang.[8]
Um diese zu gewährleisten, ist ein ausgeglichener Haushalt der Mineralien, Spurenelemente, Vitamine und Aminosäuren für die Struktur und elektromechanische Funktion essenziell wichtig. Eine Übersäuerung des Bindegewebes führt oftmals zu Starre und Fehlfunktion.

Ein weiterer Faktor, der unser Bindegewebe schwächt, ist Stress. Durch chronische körperliche oder emotionale Belastung beeinträchtigen wir auf Dauer unser Bindegewebsgerüst. Unser wichtiges Stresshormon Cortisol, das in der Nebennierenrinde produziert wird, wird bei Stress vermehrt ins Blut ausgeschüttet. Eine langfristig erhöhte Konzentration von Cortisol hemmt allerdings die Fibroblastenaktivität und unterdrückt die Kollagensynthese. Daneben kann auch die langandauernde Anwendung von Cortison die Zahl der Fibroblasten deutlich senken.[9] [10]

Der größte Bestandteil des Bindegewebes ist das leimartige Protein-Kollagen, aus dem über 30 Prozent aller Körperproteine aufgebaut sind. Das Wort „Kollagen" kommt aus dem Griechischen und bedeutet so viel wie „Leim erzeugend". In der Natur ist das Kollagen der am häufigsten vorkommende Baustein. Diese dünnen weißen Fasern mit Hohlfibrillen tauchen schon früh in der Evolutionsgeschichte auf: Bei der Entstehung der Schwämme und der Nesseltiere wie z. B. Seeanemonen und Quallen. Und so gilt das Bindegewebe als das erste strukturbildende Organ. Auch in der menschlichen Entwicklung tritt Kollagen sehr früh in Erscheinung und zwar schon am 12. Tag nach der Befruchtung des Eis.[11]

Kollagen ist das längste bisher isolierte humane Molekül. Die Kollagenfibrille ist extrem zugfest und weist eine Hohlstruktur auf, durch die Flüssigkeit zirkuliert. Sie ist der Grundbaustein der Stränge, aus denen die vielfältigen Faserstrukturen des Bindegewebes bestehen und entwickelt sich aus einzelnen, langen Kollagenmolekülen (Proteinketten), die eine linksgängige Helix bilden.
Jeweils drei dieser Helices organisieren sich zu einer rechts-gedrehten Superhelix.[12] [13]

Durch die in sich rechts-links-gedrehte Struktur entsteht die hohe Flexibilität und Formstabilität der Faszien. Sie ist es, die für ein weites Spektrum an Bewegungsmöglichkeiten sorgt. Die Superhelices wiederum stabilisieren sich untereinander durch viele Wasserstoffbrücken. Die einzelnen Bindungen für sich betrachtet sind nicht so stabil. Indem sich die einzelnen Wasserstoffverbindungen mit den aus den Kollagenketten ragenden Sauerstoffmolekülen vereinen, werden die Fibrillen so jeweils zu Drähten, Netzen und sogenannten Platten verklebt. Erst durch diese Ballung aus Molekülen, Ketten und Fasern wird ein äußerst stabiler Werkstoff für unser Kollagen-Gitterfasernetz.[14]

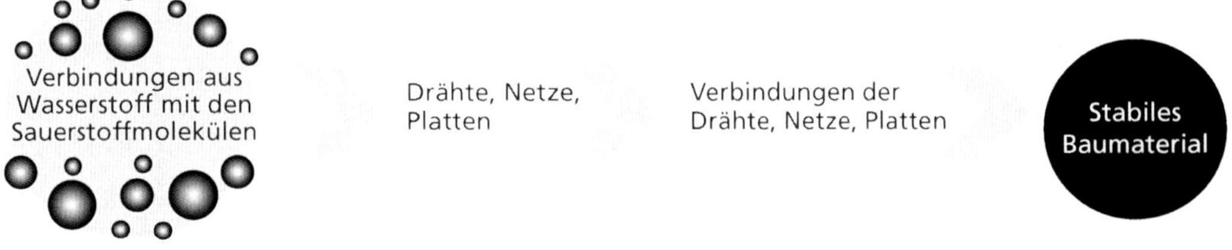

Wie so vieles, hat auch diese Medaille zwei Seiten: Die Fähigkeit, sich so fest aneinander „leimen" zu können und sich so zu einem durchgehenden Gewebe zu verflechten, führt zu einer enormen Zugfestigkeit. Liegen diese Fasern jedoch zu lange nebeneinander und sind erhöhtem Druck und Belastung ausgesetzt, bilden sie zunehmend Wasserstoffbindungen, die sich zu immer festeren Einheiten verdichten. Gewohnheiten, chronischer Stress, konstanter Druck, Bewegungs- und Flüssigkeitsmangel, Fehlernährung oder ein zu niedriger Elektrolytspiegel fördern diesen Teufelskreis. Ursprünglich getrennte funktionelle Strukturen haften dann verstärkt aneinander und behindern sich gegenseitig. So nimmt eine fein differenzierte Beweglichkeit ab und schränkt unsere Bewegungsspielräume ein.

Diese Verklebungen sind eines der häufigsten Probleme degenerativer Art – und dies ist inzwischen nicht mehr eine Frage des Alters. Mit den Jahren kommt allerdings eine andere Erschwernis biochemischer Art hinzu: Die Abnahme der Hyaluronsäure, die ein wichtiger wasserbindender Bestandteil der extrazellulären Matrix ist.

Druck, Belastung, chronischer Stress, Bewegungsmangel

Verklebung der Wasserstoffbrücken

Verfestigung des Gewebes an der Stelle

Verlust von Beweglichkeit

Weitläufige Bewegungseinschränkungen

Da verklebtes Gewebe die eigene Flexibilität zunehmend behindert, ist es im Allgemeinen eher schwierig, mit einem herkömmlichen Sportprogramm die Auflösung dieser oft hartnäckigen Verklebungen aus eigener Kraft zu erreichen. Durch die Rotationen und ausgeführten Gegenkräfte (das kraftvolle Längen) bei der Faszien-Rotation entsteht allerdings sanfte Reibung, die der Körperregion Energie und Elastizität zurückgibt. Auch das Ausrollen mit Bällen und Co ist genau hier hilfreich. Das energetische und thermische Potential wird dabei erhöht.

DAS BINDEGEWEBE ALS IMMUNOLOGISCHER SCHUTZ

Wir haben gesehen, dass die lebendige Matrix das Element ist, in dem *„... eine große Zahl von Stoffwechselaustauschvorgängen stattfindet, wo Nährstoffe die Zellen erreichen und Abfallstoffe abtransportiert werden. Ihre Temperatur, die relativen Sol- und Gel-Zustände, die spezifischen chemischen Unterarten, die Gegenwart körperfremder Teilchen und Gifte und die mechanische Aktivität wirken direkt auf diese Austauschvorgänge ein. Die Grundsubstanz wiederum wird unmittelbar von der Ernährung, von Hormonen, Krankheiten und Stress beeinflusst, die im Körper als Ganzes auftreten."* [15]

Je verklebter und fibröser unsere fasziale Textur ist und je stärker die Schutzstoffe der Grundsubstanz gestört sind, desto schneller können sich Infekte, Krankheiten und Tumore ausbreiten, da die zahlreichen, über den ganzen Körper verteilten Faszien-Abteile ihre

Barrierefunktion verlieren. Ein gesundes Bindegewebe mit hoher Viskoelastizität ist somit ein tragendes Element des Körperimmunsystems. Es hilft, die Ausbreitung von Krankheiten einzudämmen.[16]

FASSEN WIR DIE VIELFÄLTIGEN FUNKTIONEN VON FASZIEN NOCH EINMAL ZUSAMMEN:

Stütz- und Trägerfunktion

Kraftübertragung
Bewegungskoordination und Harmonisierung entstehen durch die Übertragung elastischer Kräfte.

Stoßdämpferfunktion
Die von außen „eindringende" Energie einer Erschütterung wird durch das Faszien-Gewebe abgepuffert, gedämmt und umgeleitet. Die Sol-Gel-Zustände können sich nach einer Verletzung durchaus verändern.

Schutzfunktion
Bei zu starken Spannungsänderungen sorgt das Faszien-System für Ausgleich.

Abwehrfunktion/Barriere – biochemisch und biophysikalisch
Gesunde Faszien sind für uns lebensnotwendig, können sie doch nur so als gute Schutzbarriere bei entarteten Zellen, Infekten und anderen Entzündungen dienen. Gegen von außen eindringende negative Einflüsse sind widerstandfähige Organhüllen notwendig.

Kommunikation und Austausch
In der extrazellulären Matrix unseres Bindegewebes findet die Zufuhr von Nähr- und Botenstoffen aus der Peripherie und Mitnahme von Informationen und Stoffwechselabbauprodukten aus der Zelle statt. Unsere Faszien sind als Transporteur ein wichtiger Bestandteil unseres Immunsystems.

Biochemie
Die Gel-Sol-Zustände unseres Bindegewebes sind durch Energie (Licht, Wärme, chemische, elektrische und elektromagnetische Energie) veränderbar. Der thixotrope Geliereffekt ist die Folge abgesenkter Energiepotenziale. Bewegungs- und Körperarbeit verbessern die Sol-Werte wieder nachhaltig.

Hämodynamik
Neben den Blutgefäßen führen auch die Lymphgefäße durch das Faszien-Gewebe. Durch Muskelkontraktionen werden das Blut und die Lymphe wie durch eine „Periphere Pumpe" in Richtung Herz befördert. Allerdings können, bei zu hoher faszialer Spannung, die Gefäße in diesem Bereich auch gestaut und abgeschnürt werden mit Folgen für unseren gesamten Organismus.

VERÄNDERUNG VON DER GEBURT EIN LEBEN LANG

Wir befinden uns in einem kontinuierlichen Reifungsprozess, einem Prozess innerer und äußerer Ausdehnung. Unser Körper vermag sich ein Leben lang zu verändern und zu entfalten. Immer wieder passen wir uns an neue Lebensbedingungen an und sind gefordert, uns Neuem zu öffnen. Diese Fähigkeit geschieht auf allen Ebenen unseres Körpers, dem physischen, emotionalen und mentalen Körper.

Unser Transformationsprozess beginnt mit der Zeugung. Die Geburt bedeutet dabei bereits die erste und somit auch die größte einschneidende Veränderung und eindrücklichste Anpassung an eine neue – so fremde – Umwelt. Und dies auch unter außergewöhnlichen und oftmals sogar dramatischen Umständen. Alle diese neuen Einflüsse wirken auf den gesamten Organismus ein – physisch wie emotional und in der Folge auch mental.

Wir können immer wieder sehen, wie das körperliche Erscheinungsbild Spuren des Geburtstraumas vorweist. Diese können eher latent bis hin zu ganz offensichtlich erkennbar sein.

Die Geburt erfordert einen unglaublichen Willensakt und einen kraftvollen Körpereinsatz seitens des Kindes und natürlich auch seitens der Mutter. Dieser Kraftakt – hier liegen Leben und Tod so dicht beieinander – ist für das Kind eine lebensnotwendige Erfahrung, bildet sie doch den Grundstein für die Entwicklung seiner weiteren sensor-motorischen, emotionalen und intellektuellen Fähigkeiten. Das Bewusstsein beginnt zu erwachen, sich zu entfalten und allmählich zu reifen.
Eine Flut von Reizen wirkt intensiv auf alle Sinne des Neugeborenen ein. Treten diese vielfältigen Reize allerdings plötzlich, überraschend und invasiv auf, so werden sie stärker als traumatisch erfahren.
Das „Was" und das „Wie" der Erfahrungen schreiben sich in unser zelluläres Körpergedächtnis ein. Vor allem das „Wie" entscheidet darüber, welche Reaktionsmuster sich später zeigen werden – und zwar auf allen Ebenen: als Denk-, Verhaltens- und Bewegungsmuster. Unsere Fähigkeit, aus unserem physischen, emotionalen und mentalen Raum heraus auf das Leben zu antworten, beginnt spätestens mit der Geburt.
Wird die erste kindliche Reaktion auf eine angsteinflößende Situation als defensiv erlebt, prägt sich diese folglich vorranging als Rückzugsmuster in das Bindegewebe ein und festigt sich mit der Zeit als Verhaltensweise entsprechend – ängstlich, vorsichtig, verschreckt...

Oft führen diese frühkindlich kontraktiven Körpermuster dazu, dass sich die Person im späteren Leben vorranging im eigenen mentalen Raum beheimatet. Der Zugang zu dem eigenen physischen und emotionalen Körper wird als zu schmerzhaft erlebt. Diese Menschen sprechen später über die Dinge des Lebens, sie sinnieren und philosophieren – meist in der „man"-Form – statt sich mit ihren eigenen Erfahrungen zu verbinden und sie in sich, im Ich, zu spüren.

Wenn ich hier vom Prozess der Transformation spreche, so geschieht dies in erster Linie aufgrund und in der Beziehung zu unserem eigenen Körper, zum physischen Körper. Von hier aus ist es uns möglich, uns wirklich auszudehnen, um in uns den inneren Raum zu schaffen, in dem der äußere die Möglichkeit hat, sich abzubilden.

Unsere intellektuelle Entwicklung und unsere Lernfähigkeit hängen von der Anzahl der Verbindungen ab, die zwischen den Gehirnzellen und dem Nervensystem aufgenommen werden. Durch die Anstrengung und den dadurch erhöhten Stresspegel während der Geburt, werden entsprechend viele synaptische Verbindungen geknüpft.
Damit es nachhaltig zu einem physiologischen und emotionalen Ausgleich kommt und sich der Geburtsprozess nicht nur auf die Erfahrung von Stress, Anstrengung und Gefahr reduziert, ist es unabdingbar, dass das Kind möglichst direkt nach der Geburt in den Armen der Mutter zur Entspannung und Ruhe finden darf. Aus dieser Beruhigung des Ankommens, werden körperliche und emotionale Sicherheit und Vertrauen geboren. Auch diese Erfahrung schreibt sich tief in unser Bindegewebe ein. Der kleine Körper beginnt sich ganz allmählich auszudehnen, zu entfalten. Gehaltene Spannung kann losgelassen werden, um anzukommen, zumal sich der physische Körper lange in einer zusammengefalteten Position befand und die Kontraktionen der Mutter während der Geburt eine wellenartige Tiefenbindegewebsmassage ausgeführt haben. Mit dem Geburtsgeschehen beginnt der Prozess der Ausdehnung.
Dies ist eine Entwicklung, die ein Leben lang fortgeführt und geübt werden kann.
Ausdehnung ist ein kontinuierlicher Transformationsprozess, der mit dem Eintritt in den Raum der Schwerkraft die größte Herausforderung an unsere eigene Kraft auf körperlicher Ebene darstellt. Das „Ja" zum eigenen Leben hat viel mit diesem ersten Eindruck zu tun und der Hingabe unserer ersten eigenen Bewegungen im Raum von Gravitation.

Und genau hier bietet uns Faszien-Rotation die Möglichkeit, zu jedem Zeitpunkt und in jeder Situation unseres Lebens mit unserer Verbindung zur Schwerkraft bewusst in Beziehung zu treten, um uns über Spannkraft entlang der Faszien-Züge auszudehnen. Mit dem Üben von Spannkraft, dem kraftvollen Zusammenspiel von Stabilität und Flexibilität, dem gleichzeitigem Raumschaffen und einer differenzierten Wahrnehmung nimmt unsere Fähigkeit auf das Leben zu antworten zu.

ETABLIERTE MANUELLE FASZIEN-THERAPIEN

ROLFING

Schon Ida Rolf, die Begründerin der manuellen Bindegewebs-Körperarbeit des nach ihr benannten „Rolfing", hat Ende der 1930er Jahre das weiche Gewebe erforscht und es behandelt. Ihrer Idee nach „schwebt" unser Knochengerüst in einem weichen Bett aus Bindegewebe.[17]
Damals galten eher knochenbezogene Techniken als effektiv, z.B. die Chiropraktik. Heute ist es gang und gäbe, dass die meisten Körperarbeitstechniken das weiche Gewebe mit einbeziehen oder sich darauf konzentrieren.

FASZIEN-DISTORSIONS-MODELL (FDM)

Eine weitere, sehr wirkungsvolle und schnell arbeitende manuelle Therapie, die direkt an den Faszien ansetzt, ist das Faszien-Distorsions-Modell (FDM) nach Steven Typaldos.
Nach ihm sind Schmerz- und Bewegungsstörungen durch genau sieben mögliche Faszien-Verzerrungen (-Distorsionen) bedingt. Durch spezielle Techniken werden diese von FDM-Therapeut:innen schnell und nachhaltig gelöst. Diese Methode wird auch deshalb „fast track Osteopathie" bezeichnet.

Alle diese wirklich empfehlenswerten manuellen Faszien-Therapien, wie zum Beispiel das Rolfing und FDM, sind jedoch immer von guten Therapeuten:innen abhängig, die Verklebungen oder Verdrehungen im Faszien-Gewebe von außen lösen. Unsere Gesundheit und Bewegungsfreiheit liegt jedoch auch in unserer eigenen Verantwortung. Über Bewegung entlang der myofaszialen Kraftlinien können wir durch Faszien-Rotation das gleiche selber erreichen. Wichtig ist dabei der Aspekt der Selbstwirksamkeit. Dafür ist es unabdingbar, ein eigenes Wissen über unser Bewegungssystem und die damit verbundenen Zusammenhänge zu erlangen. Und wir benötigen ein Verfahren, das jeder überall in den Alltag integrieren kann – zu Hause, unterwegs, beim Sport.

DIE ÜBUNGSZENTRIERTE FASZIEN-ROTATION NACH EIBICH

Für unseren gesunden Umgang mit uns und unserem Leben ist ein hohes Maß an Selbstfürsorge und an Lebensstrategien unerlässlich. Denn im Zuge eines eigenverantwortlichen Umgangs mit unserer Gesundheit ist es wichtig, ein Werkzeug an die Hand zu bekommen, mit dem wir uns immer wieder selber ausrichten und stabilisieren können. Faszien-Rotation fokussiert auf Bewegungs-Sequenzen, die auf den zuvor beschriebenen vierzehn Prinzipien basieren, und ist ein Werkzeug für jeden Tag.

Bei *Faszien-Rotation* handelt es sich nicht nur um eine weitere neue Trainingsmethode. Vielmehr ist es eine innere Einladung und eine kraftvolle Aufforderung an die Faszien, sich über die Bewegungsform zu entrollen, zu lösen, zu längen, zu kräftigen. Während wir nach einer manuellen Faszien-Therapie sagen können: „Wir sind ausgerichtet worden", können wir bei der bewegungszentrierten Faszien-Rotation sagen: „Ich richte mich aus" – um entspannt und gut ausgerichtet durch das Leben zu gehen.

EINLADUNG

Diese Körperarbeit setzt ein neues Verständnis, eine neue Herangehensweise an Übungsaufbau, Bewegung und Training voraus.
Ich möchte Sie dabei behutsam mitnehmen, Schritt für Schritt. Denn immerhin gilt es, alte, oftmals äußerst hartnäckige Muster sanft aufzulösen, um ihnen durch neue Impulse Möglichkeiten zu einer Neugestaltung zu geben. Nach meiner langjährigen Erfahrung gelingt dies am besten, wenn sich auch Kopf und Intellekt eingeladen fühlen. Wenn wir die Grundlagen und Zusammenhänge verstehen, lässt es sich viel leichter rotieren – versprochen!

KETTENREAKTIONEN

Bewegungen, die auf der Ebene der Faszien ausgelöst werden, lassen die gesamte Dynamik der Spannzüge, die durch unseren Körper laufen, sichtbar und spürbar werden. Diese Zusammenhänge zeigen sich besonders deutlich, wenn eine Verletzung eine Kettenreaktion von Ungleichgewichten, Ausweichbewegungen und entsprechenden Kompensationen auslöst.

Zum Beispiel: Wir treten mit unserem rechten Fuß in eine Scherbe oder knicken um und der Prozess nimmt seinen Lauf. Instinktiv weichen wir dem Schmerz aus, belasten die lädierte Seite weniger oder gar nicht mehr. Kompensieren muss dies die andere, linke Seite. Nach einiger Zeit stellen wir dann fest, dass unsere linke Hüfte überlastet ist oder gar schmerzt. Eines Morgens schauen wir in den Spiegel und nehmen irritiert wahr, dass unsere Schultern nicht mehr auf gleicher Höhe sind oder sich der Abstand vom Ohr zur Schulter verkürzt hat und sich der Kopf bei dem Versuch, beide Schultern wieder auf gleicher Höhe zu schieben, leicht neigt. Das heißt, er bewegt sich entsprechend der Verkürzung mit.
Und als sei dies nicht schon genug, kommt es womöglich zum „Ein-Bein-länger"-Syndrom: Die Kompensation wirkte über einen längeren Zeitraum perfekt, nun wird sie offensichtlich. Als Folge der Verletzung treten Verspannungen, Verdrehungen und Verkürzungen

an anderen Stellen auf. Und das selbst dann noch, wenn der Schmerz im Fuß längst abgeklungen ist.

Ein weiteres Beispiel einer faszialen Kettenreaktion: *Nach einer Erkältung spüren wir im unteren Rücken Schmerzen und starke Verspannungen. Etwas vereinfacht dargestellt könnte sich Folgendes ereignet haben: Wir haben uns erkältet; wir frieren, ziehen den Körper fester zusammen und die Schultern hoch, wir beugen uns mehr nach vorne, um Spannungen der Stimmbänder, des Hustenreizes entgegenzuwirken; unsere inneren frontalen Spannungszüge verkürzen sich; wir atmen flacher, das Zwerchfell wird geschont; damit werden jedoch unsere tieferliegenden Bauchorgane und vor allem der Psoas-Muskel weniger massiert; in der Folge wird der Psoas-Muskel immer fester, verliert an Flexibilität und dies wirkt sich nachteilig und nachhaltig auf unseren Rücken aus.*

Oder: *Nach einem Bruch belasten wir das entsprechende Körperteil nicht gleichmäßig und schaffen so ein Kräfteungleichgewicht mit sicht- und spürbaren Folgen an anderer Stelle.*

Oder: *Normalerweise wird in Deutschland heutzutage bei einer Geburt entweder ein kontrollierter Dammschnitt durchgeführt oder ein eventueller Dammriss schichtweise, anatomisch korrekt rekonstruiert. Trotzdem kann es danach zu ungleichmäßiger, einseitiger Narbenbildung des Dammes kommen. Das Narbengewebe zieht sich zusammen. Dies hat Auswirkungen auf die Spannungsverhältnisse im Beckenboden und führt meistens zu einem Beckenschiefstand und dem „Ein-Bein-länger"-Syndrom, das immer damit einhergeht*

Oder: *Eine Fäulniskeimbesiedelung des Darms zieht enorme muskuläre Verspannungen nach sich, da unser Darm über das Peritoneum (auch eine Faszie) in indirekter Weise mit unseren Psoas-Muskeln in Verbindung steht.*

Oder: *Einseitiges Sehen, Hören, Kauen über einen längeren Zeitraum hinweg, führt zu einer Skoliose.*

Oder, oder, oder...

KOMPENSATION

Im menschlichen Körper ist Kompensation eine hilfreiche Einrichtung und wichtige Strategie. Ja, wir haben es zu wahrer Kompensations-Meisterschaft gebracht. Unser Körper strebt stets danach, eine Balance zu finden, die die Handlungsfähigkeit gewährleistet – oft allerdings über seine Belastungsgrenze hinaus. Ist dies nur von kurzer Dauer, bleiben die Kompensationen oberflächlich und sind leichter wieder umkehrbar.

Anders verhält es sich bei länger anhaltenden Missständen oder gravierenden Veränderungen, etwa nach einem operativen Eingriff für eine neue Hüfte. Dann können sich die Kompensationen so tief einschreiben, dass sie von unseren „Selbstwahrnehmungsnerven", den Propriorzeptoren, als neues Bewegungsmuster aufgenommen werden. Diese Information wird ans Gehirn weitergeleitet, das entsprechend der veränderten Spannungsmuster reagiert. So werden aus Strategien regelrechte Muster. Wenn wir dies nicht bemerken, wird ein Muster zur Haltung. Und in meinen Augen führt jede Haltung zu einem Haltungsschaden.

Es ließe sich also sagen, dass Verletzungen und Schmerzen entlang der Faszien-Züge durch unseren gesamten Körper rotieren. Glücklicherweise ist dies keine Einbahnstraße. Auch in umgekehrter Richtung wirkt ein Impuls zur Ausdehnung, Ausrichtung und Heilung über entsprechende Züge. Das Ausrollen der Faszien unter den Fußsohlen beispielsweise führt zu mehr Geschmeidigkeit im gesamten Körper.

SCHMERZ- UND SELBSTWAHRNEHMUNG

Widmen wir uns kurz einem spezialisierten Sinnesorgan, den Rezeptoren. Unser Leben ist begleitet von einem ständigen Aufnehmen, Abgleichen, Antworten und Ausgleichen der Informationen, die kontinuierlich auf uns einströmen.

Die Informationen über Veränderungen sowohl in unserer Umgebung als auch in unserem Organismus werden von Rezeptoren registriert und als Impulse weitergeleitet. Es gibt eine Vielzahl von Rezeptoren:
Exterozeptoren erteilen Auskunft darüber, was in näherer Umgebung passiert
Telezeptoren nehmen die Reize aus der weiteren Umgebung über Auge und Ohr auf
Propriorezeptoren geben Informationen über die Richtung und Bewegung im Raum und deren Kraftaufwand usw.
Entero- oder viszerale Rezeptoren , die sich über die Vorgänge im Inneren des Organismus orientieren.[18 19]

Die Propriorezeptoren sind Selbstempfindungsnerven. Diese Messfühler geben zu jeder Zeit Informationen über die Lage unseres Muskel-Skelettsystems und unsere Bewegungen im Raum weiter an das Nervensystem und dienen der Orientierung und Selbstwahrnehmung. Kontinuierlich messen sie die Position unserer Gelenke sowie Spannung und Länge unserer Muskeln und übermitteln diese Daten an unser Kleinhirn und unseren Cortex.[20]

In den Faszien sitzen unter anderem die Schmerzrezeptoren (Nozizeptoren) und die Propriorezeptoren. Bei übermäßigem Druck, zu starker Dehnung oder gar Einreißen des Gewebes geben die Nozizeptoren dieses Geschehen durch die schnellen Leitungsbahnen über das Rückenmark weiter ans Gehirn. Hier erst werden diese als Schmerz wahrgenommen. Es sind die Faszien-Strukturen, die den Organschmerz über die Schadensfühler weitergeben und deshalb besonders bei Schmerzerkrankungen maßgeblich für die Behandlung sein können.

Zur Schmerzprävention sollten die Faszien vor allem mechanisch stimuliert werden, um eine höhere Reißfestigkeit, Belastbarkeit, Dehnungsfähigkeit und Geschmeidigkeit zu erlangen.

ERNEUERUNG – MEHR ALS ZELLTEILUNG

Zellen haben eine begrenzte Lebensdauer. Doch sie werden durch Zellteilung ununterbrochen ersetzt. Innerhalb von sieben Jahren erneuert sich unser Körper so einmal rundum. Damit besteht die Möglichkeit, dass sich neue Zellen auch in eine neue Richtung hin entwickeln können. Wahre Veränderungen müssen allerdings nicht immer groß und dramatisch verlaufen. Jede Veränderung ist ein neuer Schritt hin zu neuen Möglichkeiten – auch bezüglich unserer Anatomie. Oftmals sind es die kleinen subtilen Impulse, die eine große Wirkung haben können.

Dennoch sollten wir daraus nicht rückschließen, dass so auch negative zelluläre Erinnerungen emotionaler oder physiologischer Art verschwinden oder gar gelöscht werden. Die Erinnerung und das darin gespeicherte Erleben bleiben solange im System, bis damit auf Körperebene gearbeitet wird. Erst dann ist es integrierbar und wirkliche Heilung möglich. Dies wird im Körper in der gesamten Ausrichtung sichtbar. Durch Faszien-Rotation haben wir ein Instrument, mit dem wir lernen, uns wieder ganz gezielt neu auszurichten – auf allen Ebenen.

VERKÖRPERUNG: Das Innere zeigt sich außen, das Äußere im Inneren

Menschen, die etwas Schlimmes erlebt haben, die voller Angst, schwermütig oder traurig sind, wirken oft auch körperlich wie versteinert, zusammengezogen, erstarrt – ja, wie gelähmt. Ein solcher auf Faszien-Züge ausgeübter Stress wirkt immer ganzkörperlich. Bleiben wir in unseren Haltemustern gefangen oder spulen wir unsere gewohnten Bewegungsmuster wieder und wieder ab, sind es ein ums andere Mal dieselben Kräfte, die auf unsere Knochen einwirken und an unseren Spannungszügen ziehen. Dabei spielt es keine Rolle, ob die Ursachen körperlicher oder emotionaler Art sind, ob sie von äußeren oder inneren Kräften hervorgerufen werden. Hält dieser negative emotionale Zustand über einen längeren Zeitraum an, zeichnet der Körper diese Befindlichkeit auch in seiner Struktur ab. Stressbedingte Haltungen führen so immer zu Haltungsschäden.

Glücklicherweise ist dies keine Einbahnstraße. Kommen festgehaltene Emotionen wieder ins Fließen, können sie bearbeitet und integriert werden. Impulse in die entsprechenden Faszien hineingegeben, können wiederum Inhalte wecken. Dies kann unter Umständen

selbst schon beim einfachen Ausrollen der Faszien mit Bällen oder beim Rotieren passieren. So manche angestaute Emotion kann körperlich getriggert zu einem Schwindel- oder Übelkeitsgefühl, einem Gähnen, Schwitzen, Weinen oder Lachen führen. Geschieht dies und geben wir diesem Prozess Raum, entsteht ein Loslassen und Ausdehnen innerlich wie äußerlich.
Im Glücksgefühl lässt es sich einfach beschwingter aufrecht gehen und in der entspannten Aufrichtung lässt sich auch das Leichte und Kraftvolle wieder spüren.

VERKNÖCHERUNG

Wie wir eben gesehen haben, können sich Knochen durch bestimmte Einflüsse verändern – sowohl hinsichtlich der Zusammensetzung ihrer Bestandteile als auch ihrer Form. Eine anhaltende Fehlhaltung bedeutet immer eine Fehlbelastung und damit eine Kräfteverschiebung auf das knöcherne System. Dabei sollten wir berücksichtigen, dass Knochen immer nur dahin bewegt werden können, wohin sie durch die weicheren Strukturen des Muskel-Faszien-Systems gezogen werden (siehe auch Kapitel Von Zelten und Körpern). Jede über einen längeren Zeitraum ausgeübte Über- oder Unterbeanspruchung oder Fehlspannung bedeutet für die Knochen Stress. Und Stress bedeutet hier nicht das, was wir gewöhnlich als „Alltags-Stress" bezeichnen. Obwohl auch dieser zu Fehlhaltungen und gewohnheitsbedingten Bewegungsabläufen führen kann. Konstanter Druck oder sogar fehlende Kraft auf den Knochen ruft einen Dynamikwechsel innerhalb seiner Struktur hervor, wodurch sich die inneren Spannungslinien verlagern. Dadurch werden Mineralien verändert angelagert und Faserzüge modifiziert. Dies kann im Extremfall sogar bis hin zur Verformung führen. Die Deformation von Knochen ist ein Prozess, der an jeder Stelle unterbrochen werden kann. Je weiter dieser Prozess jedoch voranschreitet, desto schwieriger ist es natürlich, Veränderung hervorzurufen. Es ist dennoch nie zu spät, positiv einwirkende Impulse ins weiche Muskel-Faszien-Gewebe zu initiieren und auf die Zugkräfte einzuwirken – immer.

Welchen Einfluss Druckkräfte auf unsere knöchernen Strukturen haben und wie notwendig dies für ihre Stabilität ist, zeigt folgendes Beispiel: In der Schwerelosigkeit des Weltalls nimmt die Knochendichte dramatisch ab. Astronauten, die eine längere Zeit der Schwerkraft enthoben waren, können nach ihrer Landung nicht mehr aus eigener Kraft gehen. Sie brauchen Unterstützung bis ihre Knochen unter der Einwirkung der Schwerkraft wieder weniger porös sind und an Stärke gewonnen haben.

Der Knochenaufbau und -abbau ist ein permanenter Prozess. Die Knochenzellen können entweder als Osteoklasten Knochen abbauen oder ihn als Osteoblasten aufbauen – an welcher Stelle auch immer, solange es innerhalb der Knochenhaut (Periost) geschieht. So erklären sich auch knöcherne Degeneration, Auswüchse und Knochenschwund.
Alle diese Veränderungen sind neben der Schwerkrafteinwirkung und Bewegung auch

abhängig von hormonellen Steuerungsvorgängen. [21 22 23]

Knochen werden stabiler durch Bewegung und Belastung. Ein gutes moderates Training wirkt stärkend auf das gesamte Bewegungssystem.[24]
Deshalb sollten wir uns z.B. bei beginnender Osteoporose körperlich nicht nur schonen, sondern uns weiterhin sanft bewegen. Auf das Wie kommt es an. Und dafür finden Sie in diesem Buch Inspiration und Anleitungen.

WIE EIN SPINNENNETZ

Das Bindegewebe zieht sich als ein alle Strukturen unterstützendes, endloses Netz durch den gesamten Körper. Stellen wir uns ein Spinnennetz vor: Es ist hauchfein, sehr empfindlich und zugleich robust. Ein Werk aus meist symmetrisch verwobenen beweglichen Fäden mit Befestigungspunkten in seiner Umgebung. Ist das Spinnennetz gut zwischen äußeren Anbindungspunkten aufgespannt, einem Zweig hier und da, Halmen, Brettern einer Häuserwand etc., kann es flexibel reagieren, ohne seine komplette Struktur zu verändern. Selbst ein kräftiger Wind kann diesem Kunstwerk der Natur nicht viel anhaben. Es ist anpassungsfähig und schwingt bis zu einem gewissen Grad mit der äußeren Bewegung mit. Wirkt eine Kraft, ein Gegenstand (z.B. Insekt) von außen auf das Netz ein, wird die Schwungkraft leicht abgefangen, ohne dass es zerreißt oder in sich zusammenfällt. Wir nennen diese flexible Stabilität oder auch stabile Flexibilität „Viskoelastizität".

Gleiches gilt für unser Faszien-Netz. Gesunde Faszien zeichnen sich durch eine hohe Viskoelastizität aus. Nur so sind sie vital und können dynamisch reagieren.
Stabilität und Flexibilität zeigen sich in einer ausgewogenen Kombination aus einem guten Tonus, um auf jegliche Lebenssituationen angemessen antworten zu können. Überwiegt allerdings eine dieser Eigenschaften und dominiert damit die andere, kommt es zu einem Ungleichgewicht. Das heißt, wir werden dann entweder zu fest oder zu instabil.

Von außen betrachtet könnten wir meinen, dass der Vergleich mit einem Spinnennetz hinkt: Im Gegensatz zu uns Menschen ist das Spinnennetz kein in sich abgeschlossenes System. Es ist über Befestigungspunkte in der Umgebung aufgespannt. Wir dagegen können uns auch ohne äußere Hilfe selbstständig bewegen und sind deshalb bezüglich unseres Aufgerichtet-Seins nicht unbedingt auf unsere Umwelt angewiesen. Das stimmt – und dennoch möchte ich diesen Gedanken einschränken, denn genau hier setzt Faszien-Rotation neue Impulse. Wenn wir keine äußeren Resonanzpunkte haben, zu denen wir uns ausdehnen, dann bleibt uns nichts anderes als Anspannung und Festhalten. Wir richten uns also nicht auf, sondern nehmen eine Haltung ein. Unsere Achse wird dadurch eher komprimiert, da sich das umliegende Gewebe in diesem Szenario zusammenzieht. Der Preis ist hoch: Durch die Kontraktion entsteht ein Druck auf alle Organe und inneren Strukturen, der sich auch auf unsere Wirbelsäule mit dem darin befindlichen Rückenmark überträgt.

AUSRICHTUNG VERSUS HALTUNG

Unser Körper reflektiert das Spiel innerer und äußerer Kräfte. Er ist eine lebendige Erscheinung, ein Ausdruck energetischer Schwingung. Das Leben selbst ist Bewegung, ein kontinuierlich dynamischer Prozess.

Bewegung wird durch Richtung bestimmt. Deshalb spreche ich lieber von „Ausrichtung", nicht von „Haltung". Denn Haltung ist für mich ein starres System und hat wenig mit dem Leben an sich zu tun. „Nimm Haltung an!", „Halte dich gerade!" – fast wie im Befehlston ziehen wir alle Muskeln reflexartig fest zusammen, und zwar zu unserem Zentrum hin. Alles wird eng, angestrengt und atmet kaum. Bewegung reduziert sich in der Haltung. Das, was sich innerhalb des Festhaltens noch an Bewegung und Regung abspielt, findet keinen Austausch, tritt nicht nach außen. Interaktion und Kommunikation brauchen immer eine Durchlässigkeit, in Richtung Beziehung. Begegnungsräume lassen sich nur durch innere Resonanz eröffnen und erfordern eine gewisse Schwingungsfähigkeit. Erst wenn wir Festgehaltenes, Erstarrtes „auftauen", werden wir durchlässig. Dieses „Auftauen" ist kein Kollabieren, sondern ein vertrauensvolles Weichwerden, ein inneres Ausdehnen – in dem Raum entsteht für Integration. Diese sanfte Bewegung lässt uns mit der Zeit immer flexibler werden und damit wieder antwortfähig. Sie ist räumlich sichtbar und körperlich erlebbar. Geht eine der beiden Qualitäten flexibel/stabil verloren, entstehen Verhärtungen, starre Haltungen oder ein kraftloses Kollabieren – mit den Polen von „Rigidität" und „Chaos". Die lebendige Ausrichtung ist ein Zeichen von hoher Viskoelastizität.

Ausrichtung versus Haltung – innen wie außen

Strategien, die gut funktionieren, erzeugen Muster – Muster erzeugen Haltungen – und Haltungen erzeugen Haltungsschäden. Und dies gilt für mich sowohl für äußere wie für innere Haltungen.

Als Coach werde ich oft nach meiner eigenen inneren Haltung gefragt. Statt einer Haltung habe ich eine Einstellung, kann Perspektiven einnehmen, bin mit mir verbunden, verinnerliche einen Wertecodex, orientiere mich an ethischen Prinzipien und öffne mein Herz. Meine Ausrichtung ist klar und ich erlaube mir, sie fein zu justieren, wenn dies erforderlich ist. Nur so gelingt es mir, meinen Körper als Resonanzkörper einzusetzen und Alles in mir abzubilden.

Um uns geschmeidig und locker bewegen zu können, brauchen wir eine ideal integrierte Körperstruktur mit einem guten Muskeltonus, freien Gelenken und durchlässigen Faszien. Unsere Wirbelsäule ist der Dreh- und Angelpunkt. Es ist hilfreich, um diese zentrale, innere Achse in Balance zu sein. So kann die Schwerkraft auf direktem und für unseren Körper günstigstem Weg durch uns hindurch wirken. Körperliche Probleme zeigen sich, sobald wir außer Balance geraten, wenn etwas nicht in Ordnung ist – innerlich wie äußerlich. Das eine bringt das andere hervor.

Bei Faszien-Rotation geht es nicht um Haltung, sondern um ein inneres Sich-Ausdehnen. Wir lernen, uns durch Spannkraft, Längen und Rotationen entlang der Kraftlinien auszurichten. Für unsere Ausrichtung brauchen wir deshalb den äußeren Raum, in den hinein sich unser Gewebe ausdehnen kann. Denn nur durch innere Ausdehnung erlangt unsere Achse größtmögliche Stabilität. Diese Expansion gewinnen wir unter anderem über den Aufbau von Spannkraftzügen – wie ein Spinnennetz.

TENSEGRITÄT – Zugspannung und Ganzheit

Tensegrität kommt aus dem Englischen: tensegrity. Es setzt sich zusammen aus tension und integrity = Zugspannung und Ganzheit. In der Essenz heißt das: Ein Maximum an Stabilität wird mit einem Minimum an Aufwand und Material erzeugt. Die Wortschöpfung stammt von Richard Buckminster Fuller (1885-1983), einem amerikanischen Architekten, Designer, Philosophen, Konstrukteur und Visionär, der vor allem durch seine geodätischen Kuppeln Berühmtheit erlangte.[25] Sein Interesse galt dabei der Erforschung und Erfindung von Konstruktionen, deren Wirkprinzipien er in der Natur erkannt hatte.

Auch in unserem Körper finden wir diese stabilisierende Tensegritäts-Architektur. Es gibt in unserem Organismus keine horizontalen Flächen. Kein Knochen steht senkrecht auf einem waagerecht angeordneten Gelenk. Unsere Stabilität beruht auf dem korrekten Zusammenspiel von Stäben, Drähten, Platten und den Winkeln, in denen sie zueinander stehen, vor allem jedoch den Spannungsverhältnissen untereinander. Die einzelnen Teile sind dabei für sich genommen nicht stabil genug, um die hohe Tragfähigkeit des Gesamtgefüges zu erklären. Die Tensegritäts-Architektur ist ein Beziehungsgeflecht, in dem das Ganze mehr ist als die Summe seiner Teile.[26]

Wir brauchen Gegengewichte, um ins Gleichgewicht zu kommen. Die Gestalt zeigt sich immer erst im Zusammenspiel aller dynamischer Kräfte. Dieser Vorgang an sich ist schon hochkompliziert. Doch es kommt noch ein weiterer, signifikanter Einfluss hinzu: die Schwerkraft. Wir können uns – jedenfalls als Landlebewesen – der Gravitation nicht entziehen. Und so muss die Wirkung von Schwerkraft und Muskelkontraktion in kontrollierte und harmonische Bewegung aller Körperteile umgewandelt werden. Besonders für Zweibeiner ist das ein diffiziler, differenzierter und heikler Akt, den wir meistens ganz selbstverständlich vollführen.

Dabei spielen unsere Knochen die Rolle der Abstandshalter, die mit der Spannkraft der Bindegewebsverkabelungen ein ständiges Gegengewicht zu den Kontraktionskräften und Schwerkräften bilden. Bänder und Sehnen unterstützen als Spannelemente die knöchernen Abstandshalter und sorgen dafür, dass diese im korrekten Winkel in den Gelenken stehen. Die Spannkraft wird durch muskuläre Aktivität aufgebaut.[27]

Es entstehen bei diesem Vorgang unterschiedlich wirkende Zugrichtungen, durch die wir uns ausdehnen und aufrichten. All dies zusammen formt die elastisch-stabilen Tensegritäts-Strukturen unseres Körpers. Auf Faszien-Ebene initiierte Bewegungen lassen die gesamte Dynamik dieser Spannzüge körperlich und räumlich sichtbar und spürbar werden.

Eine aufrechte Ausrichtung unseres Körpers und Bewegungsfreiheit sind Zeichen dieses kontinuierlichen dynamischen Prozesses. Gesunde, viskoelastische Faszien dienen der Körperstabilität und ihre Vitalität garantiert differenzierte Bewegungsmöglichkeiten. Eine natürliche Ausrichtung und ein lebendiges Körperbild zeugen davon.

Je freier die Gelenke und je gelöster die Faszien sind, desto höher wird die Durchlässigkeit, so dass sich die Muskelkraft auf dem schnellsten und ökonomisch effizientesten Weg übertragen lässt und wir so unser Tensegritätswerk am besten nutzen können. Ein eher enges, verspanntes und gehaltenes Körperbild mit verschlossenen Gelenken und Emotionen zeigt, dass es eine Frage der Zeit ist, auf wessen Kosten diese Anspannung und Anstrengung stattfinden. Werden unsere Bewegungen zu einem Kraftakt hat dies Auswirkungen, die nicht nur unseren Kräftehaushalt beeinflussen. Neben der Muskel-Skelett-Ebene können sich die Folgen auch auf Organebene zeigen. Und natürlich auch umgekehrt: Probleme organischen Ursprungs können innerhalb der faszialen Kette Spannungszustände weiterleiten und in vielfältiger Form ihre Ausdrucksweise finden. Gleiches lässt sich auch von unseren emotionalen und mentalen Befindlichkeiten sagen.

Wir haben die Möglichkeit, über Faszien-Rotation für geöffnete Gelenke, fasziale Entspannung, eine möglichst gleichmäßige Gewichts- und Kräfteverteilung mit koordinierten Bewegungsabläufen zu sorgen und vor allem ein differenziertes Körpergefühl zu erlangen. Letztlich profitiert unser gesamter Organismus davon.
Die Kunst besteht darin, im Sinne der Tensegrität in jeder einzelnen Bewegungssequenz mittels Faszien-Rotation unser gesamtes System so auszurichten, dass wir uns mit Spannkraft in Weite und Länge ausdehnen und kraftvollen Raum erzeugen.

Da sich demnach unsere Körperstruktur und unsere Bewegungsmuster immer gegenseitig beeinflussen, habe ich folgende Bewegungsformeln aufgestellt:

Eine ideale Durchlässigkeit sorgt für eine maximale Beweglichkeit bei minimalem Krafteinsatz.

Verbundenheit + Lockerheit = ***Mühelosigkeit***

Bewegungsökonomie ist nur mit körperlicher Präsenz möglich. Körperliche Präsenz = ***Körperbewusstsein + Wahrnehmung.***

Ein differenzierteres Körperbewusstsein führt zu einem größeren Potenzial an Beweglichkeit = ***mehr Möglichkeiten und Alternativen, um auf das Leben zu antworten.***

Viele Bewegungsvarianten führen zu guter Bewegungskoordination – die Möglichkeit, auswählen zu können, macht den großen Unterschied.

ZELTE UND KÖRPER

Wir erinnern uns: Die Knochen bewegen sich immer nur dahin, wohin sie von dem weichen Gewebe gezogen werden. Gerne verwende ich in meinen Kursen das Bild eines traditionellen Zeltes mit zentraler vertikaler Zeltstange, Zugbändern und Heringen, wie etwa beim Zirkuszelt. Was haben der Mensch und ein solches Zelt gemeinsam? Beide weisen eine Achse auf. Die Ausrichtung dieser Achse steht im Fokus.

Wir werfen einen Blick auf den Zeltaufbau:
Die Zeltstange übernimmt dabei die Rolle unserer Achse. Da sie meist aus mehreren ineinander greifenden Stäben besteht, lässt sich dieses Bild ganz gut auf unsere knöcherne Struktur übertragen: Knochen-Gelenk-Knochen.
Die Zeltstange allein für sich genommen hat keine Stabilität. Bei dem Versuch, sie vertikal auf den Untergrund zu stellen, fällt sie um. So wie auch unsere Skelettstruktur von alleine nicht stehen könnte.

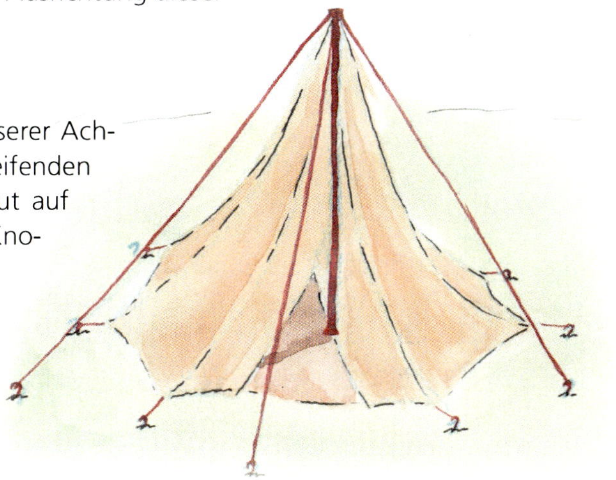

Es braucht – um im Bild zu bleiben – möglichst symmetrisch angeordnete Zugbänder, die an der Zeltstange befestigt werden. Immer noch würde unser Zelt nicht stehen. Erst wenn die Zugbänder an bestimmten Punkten mit Heringen in der Erde befestigt werden, kann sich die Stabilität langsam zeigen. Jetzt hängt alles davon ab, wie tief die Heringe in den Untergrund verankert und mit welcher Spannkraft und Gleichmäßigkeit die Spannelemente aufgezogen werden. Weiterhin kommt es auf die Befestigungsgrundlage der Heringe an. All dies lässt sich 1:1 auf unser menschliches Modell übertragen: Muskeln sind dabei die Bewegungsmotoren, Sehnen und Bänder übertragen die Muskeltätigkeit auf die Knochen an die passenden Ansatzpunkte am Skelett. Die Spannkräfte werden durch die Rotation tief im Inneren der Erde/unterirdisch aufgebaut – wie eben die Heringe, die im Untergrund verankert sind. Es ist unabdingbar, von einem tiefliegenden Punkt aus zu rotieren, damit die Spannkräfte einen guten Ansatzpunkt haben.

Das gesamte Zusammenspiel und die Gestalt dessen haben wir den Faszien zu verdanken.

Stellen wir uns nun die unterschiedlichen Spannmöglichkeiten vor und übertragen wir das entstehende Bild gleich wieder auf uns:

a) Alle Zugelemente werden gleichmäßig bis zum Anschlag kräftig angezogen = viel Stabilität und wenig Flexibilität. Jetzt ist es nur eine Frage der Zeit, wann unser Gebilde porös und abgenutzt dem ewigen Druck nicht mehr standhalten kann (der nächste Sturm kommt bestimmt). Daraus ergeben sich die Fragen: Wie lange können wir unter extremer Anspannung und dem auf allen Knochen, Gelenken, Organen lastenden Druck leben? Was macht das mit unserer Flexibilität und unserer Bereitschaft, im Leben zu agieren?

b) Es ist gleichmäßig wenig Spannung auf den Zugelementen = viel Flexibilität und wenig Stabilität. Auch jetzt ist es nur eine Frage der Zeit, wann schon beim nächsten kleinen Windstoß das Gebilde in sich zusammenfällt. Eine verminderte Grundspannung (Muskelhypotonie) eines Menschen erweckt schnell den Eindruck, als kollabiere er gleich, als sei er den Lebensumständen nicht gewachsen, als fehle ihm jegliche Vitalität. Auch zeigt er wenig Aktionsbereitschaft, Handlungskompetenz und Durchsetzungsvermögen.

c) Die Spannung ist nicht symmetrisch. Eine Seite zieht kräftiger als die andere: Wir sehen schon, wie sich die Zeltstange einseitig biegt. Hier ist es wieder eine Frage der Zeit, wann sie wirklich dauerhaft verbogen ist. Alles, was sich auf der Seite der Krümmung befindet, hat jetzt weniger Raum, wird gestaucht. So sieht das Gebilde dann auch bei uns im Körper aus. Der Knochen richtet sich entlang der auf ihn einwirkenden Stresslinien aus und degeneriert mit der Zeit. Alle sich auf der konkaven Seite der Krümmung befindlichen Strukturen verkürzen und die Organe sind erhöhtem Druck ausgesetzt. Die auf der konvexen Seite sind eher gespannt.

d) Die Spannung ist asymmetrisch und diagonal. Zieht bei obig entworfenem Bild jetzt noch ein diagonal angeordnetes Zugband kräftiger in entsprechende Richtung, müssen an anderer Stelle entgegengesetzte Kräfte wirken. Verdrehungen und Verformungen sind so kaum Grenzen gesetzt.

e) Die Spannung ist ausgewogen = Balance zwischen Stabilität und Flexibilität. Alle Bänder sind symmetrisch angeordnet. Die Heringe sitzen alle im richtigen Abstand und Winkel tief in der Erde; auch die Dichte des Untergrundes ist an allen Stellen gleich. Erst jetzt wird die Zugspannung ganz gleichmäßig im günstigen Verhältnis zueinander aufgebaut. Es entsteht eine ausgewogene Gesamtspannkraft. Eine so organisierte Bewegungsstruktur erzeugt Leichtigkeit und Freude.
Die größte Last wird hierbei von den Zugkräften getragen und nicht mehr von den Knochen. Unsere Faszien können ein Vielfaches des eigenen Gewichtes vertragen.
An dieser Stelle passt der schöne Begriff „Bone-Homing", den die Body-Mind-Centering-Pionierin Bonnie Bainbridge Cohen kreierte. Die Knochen können endlich nach

Hause kommen in ihre genau für sie vorgesehenen Gelenke, im passenden Winkel. Zuvor enge, gestauchte Gelenke können sich öffnen. Wir scheinen zu wachsen. Unsere Knochen geben jetzt den perfekten Abstand zwischen den einzelnen Gelenken an.

Ein jeder von uns findet sich irgendwo in diesen Bildern wieder. Oft schwanken wir zwischen den einzelnen Möglichkeiten – wie gesagt: Das Leben ist ein dynamischer Prozess. Wir sind eingebunden in innere und äußere Spannungen, die an uns ziehen und so manch einem Druck, der auf uns lastet.
Es gibt allerdings auch rein auf der physischen Ebene wirkende Kräfte, die unsere Körperstruktur außer Balance bringen. Es reicht schon ein operativer Eingriff und wir befinden uns teilweise in Bild c oder d. Denn Narbengewebe ist Bindegewebe, das sich zusammenzieht.

Die unendliche Vielfalt unserer Spannkräfte ist von wesentlicher Bedeutung. Sie kommt durch unsere Gestik und unsere individuellen Bewegungsmuster zum Ausdruck. Die Spannkräfte haben einen sehr starken dynamischen Charakter, den wir uns bei der Faszien-Rotation zu Nutze machen.
Wird unsere knöcherne Struktur muskulär gehalten, statt sie über die Spannkräfte unserer Tensegritäts-Strukturen aufzurichten, geht ein großer Teil unserer muskulären Kraft verloren.

Wir sehen also, wie Haltung, Schwäche und Ungleichgewichte in Länge und Spannung zu Verlust unserer Stabilität führen. Da wir Kompensationsmeister sind, werden uns dieses Ungleichgewicht und die damit verbundenen Belastungen auf unsere Knochen, Gelenke und Organe meist nicht bewusst – zumindest nicht zu Beginn.
Dies lässt sich jedoch vermeiden: Bei Faszien-Rotation trainieren wir, wie unsere Knochen Kontur und Klarheit geben, wie unsere Faszien gemeinsam mit unserer Muskelaktivität für den größten Teil unserer stabilen und gesunden Körperausrichtung sowie für harmonische Bewegung sorgen.

HYDROSTATISCHER DRUCK - WASSER RICHTET UNS AUF

„Was ist der Mensch? Der Mensch ist ein Behältnis, den das Wasser erfunden hat, um auf dem Land spazieren gehen zu können." [28]

Wir bestehen – je nach Alter und anderen Konditionen – im optimalen Fall aus 70 bis 80 Prozent Flüssigkeit (Menschen mit einem hohen Fettanteil erreichen allerdings fast nie diese durchaus wünschenswerten 70 Prozent). Dabei ist dieser innere Ozean gut eingebettet in die vielen Bindegewebsabteile und Kanäle. Der Druck, den die Gravitation auf die Flüssigkeit im Körper ausübt, der sogenannte hydrostatische Druck, leistet bezüglich unserer Körperstabilität einen ähnlichen Beitrag wie die Tensegrität.
Wir können uns das vielleicht so vorstellen: Ein menschengroßer Wasserballon wird durch Bänder und Kordeln gleichmäßig an vielen Stellen eingeschnürt. Es entstehen immer mehr Wasserabteile mit immer höherem Innendruck. Auch die Form verändert sich. Irgendwann lässt sich der Wasserkörper sogar aufrecht stellen. Ähnliches vollzieht sich in unserem Körper. [29]

Je nach Länge und Spannkraft unserer Bänder erhöht sich der hydrostatische Druck und die einzelnen Flüssigkeitsbeutel kommen ins Gleichgewicht. Unsere Aufrichtung geschieht wie von selbst. Ein Gefühl von Auftrieb verleiht unserer Bewegung größtmögliche Leichtigkeit.

Und wieder sind es nicht die Knochen, die eine stabile und gesunde Körperausrichtung und anmutige Bewegung allein verantworten, sondern die unter Gravitationsdruck stehenden „Wasserbeutel" und „Spanndrähte" des Bindegewebsgerüsts. Umso wichtiger ist es, diese sogenannten Kordeln gleichmäßig zu spannen.

DER THIXOTROPE GELIEREFFEKT

Dieses Fremdwort bezeichnet ein Charakteristikum des Bindegewebes und lässt sich auf die einfache Formel reduzieren: In Bewegung wird Gewebe flüssiger, wenn es ruht, verfestigt es sich.

Der Arzt und Osteopath R. B. Taylor stellte 1958 fest, dass

„manueller Druck und Dehnung der wirksamste Weg ist, um das Energiepotential krankhafter Gewebe zu verändern." [30]

Das Prinzip: Das Bindegewebe ist eine Art Flüssigkristall mit einer hohen, lebenslangen Sol-Gel-Aktivität. „Sol" bedeutet flüssiger, „Gel" fester. Das Energieniveau lässt sich durch mechanische Bewegung erhöhen. Bewegung durch Reibung und Dehnung erzeugt Wärme. Dieser thermische Effekt entsteht auch bei manuellen Therapien und Behandlungen. Eine leichte Steigung der Temperatur sorgt dafür, die Grundsubstanz wieder flüssiger und für den Stoffwechsel und die Nährstoffzufuhr in die Gewebe durchgängiger werden zu lassen.

Das Spektrum reicht von wässrig bis gallertig, von dicht und elastisch bis steinhart – und umgekehrt. Daraus ergibt sich die vielfältige Bandbreite aller sichtbaren Formen von Schlaffheit, Flexibilität und Steifheit, inklusive aller Nuancen. Unser Körper passt sich den jeweiligen Bedürfnissen des Moments an: Neue Gewohnheiten oder Fertigkeiten erfordern eine Modifikation der Spannungszüge, Muskelmasse etc.. Unser Erscheinungsbild verändert sich ständig – wenn auch oftmals subtil.

Beim heranwachsenden Menschen sind die Gewebe am wandlungsfähigsten. Denn hier ist ein rasches Wachstum erforderlich. Mit zunehmendem Alter nimmt die Geschwindigkeit ab, mit der das Bindegewebe seinen Zustand anpassen kann. Wir können dennoch viel tun, um unsere Sol-Gel-Aktivität anzuregen. Und das sollten wir auch. Denn allein schon unsere Stoffwechselvorgänge hängen von der Vitalität unserer Gewebe ab. Wir können demnach durch ein gutes Maß an Bewegung, gesunder Ernährung und mit viel Flüssigkeit von qualitativ hochwertigem Wasser einer vorzeitigen Alterung entgegenwirken.[31]

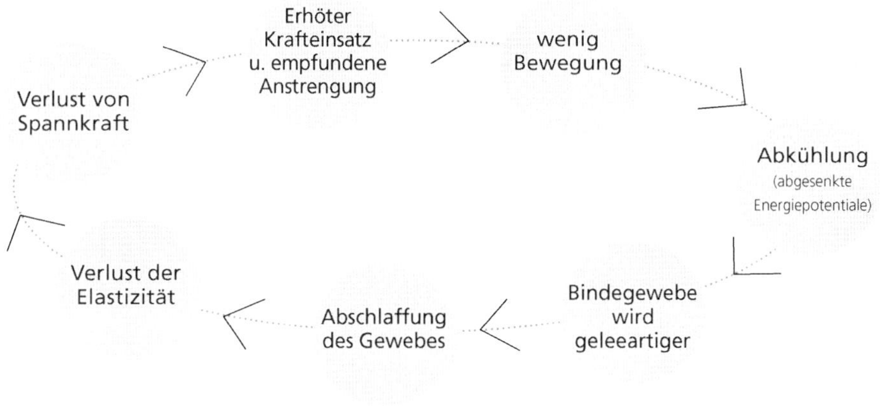

Der thixotrope Effekt liefert auch einen wesentlichen Beitrag für den Erfolg von Faszien-Rotation. Das Aufbauen von Spannkraft bei gleichzeitiger Rotation gestaltet das Gewebe dynamisch und steigert den thermischen Wert. Auch das kraftvolle Längen sorgt für verbesserte Sol-Zustände in verhärteten Körperregionen. Alle Komponenten zusammengenommen üben einen positiven Einfluss auf die Wandlungsfähigkeit des Bindegewebes aus. Sogar in trägen organischen Systemen können sich die Gewebebeschaffenheit und der Stoffwechsel nachhaltig verbessern.

Durch Nichtgebrauch, Körperhaltungen und chronische Belastungen entstehen Formzustände in unserem Körper, in denen unser Bindegewebe in manchen Körperzonen verhärtet und verkürzt, in anderen erschlafft und sich verlängert. Faszien-Kompartimente können fibrotisch werden und Bänder sich so sehr dehnen, dass sie unsere Gelenke nicht mehr ausreichend stabilisieren können. Wir kompensieren, bis unter dem ständigen Zug der Schwerkraft Asymmetrien und Ungleichgewichte entstehen. Faszien-Rotation wendet sich ganz gezielt an die strukturellen Eigenschaften des Bindegewebes.

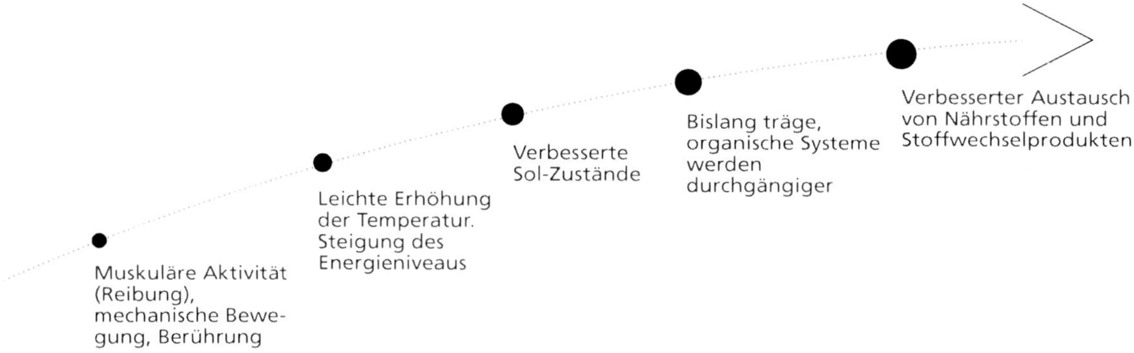

In dieser Darstellung wird deutlich, wie Aktivität des Energiepotenzials zu erhöhter Vitalität führt. Wir können demnach zu jeder Zeit etwas für die Zunahme unserer Spannkraft tun.

Wir haben gesehen, dass das Netzwerk aus Faszien die gesamte innere Architektur unseres Körpers abbildet. Auf dieser Ebene initiierte Bewegungen lassen den Körper als eine Einheit erscheinen. Faszien-Rotation kann nicht nur mögliche Einschränkungen überwinden, alte Verklebungen lösen und Torsionen beeinflussen, sondern insgesamt unsere Lebensqualität verändern und unserem körperlichen Ausdrucksverhalten zu mehr Durchlässigkeit verhelfen.

DIE MUSKELN ALS TEIL DES FASZIEN-SYSTEMS

Bisher galt es als allgemein gültig, dass das Faszien-Gewebe sich bei seinem Wachstum am Muskel orientiert. Aktuelle Studien legen nahe, dass es sich umgekehrt verhält: Die Anordnung des Bindegewebes gibt die Richtung vor, in der sich das potentielle Muskelgewebe anlagert und differenziert ausbildet – und zwar innerhalb der Zuglinien, an denen es sich orientiert.[32]

Im reifen Embryo bildet das Bindegewebsgerüst das Design aller weiteren Strukturen, all der Beutel und Kanäle mitsamt ihrer vorgesehenen Verteilung, Größe und Gestalt. Das embryonale Bindegewebe, das Mesenchym, ist auch der Ursprung, von dem aus die Bindegewebszellen (Fibroblasten) und die Knorpelzellen (Chondroblasten) aufbrechen, um die vielgestaltigen Kollagen-, Knorpel- und Knochenstrukturen hervorzubringen. Von hier machen sich auch die Muskelzellen (Myoblasten) auf den Weg, um die mehr als 600 sepa-

raten „Bindegewebsgussformen" der Matrix in der richtigen Abfolge mit Muskelzellen auszukleiden.[33]
Es gibt drei Haupttypen von Muskelgewebe:

- *die glatte Muskulatur der inneren Organe und Blutgefäße*
- *die quergestreiften Skelettmuskeln, die das Skelett bewegen*
- *die Herzmuskeln*

Muskelgewebe selbst ist eher schwammig und kann sich entweder ausdehnen oder zusammenziehen, in Abhängigkeit von den darum liegenden Faszien-Hüllen. Das bedeutet, dass die Muskeln sich den Faszien-Hüllen in Form, Richtung und Anordnung anpassen und danach differenzieren.
Die Kombination von Muskel und Faszien-Hülle nennt sich myofasziales Gewebe und ist äußerst beeinfluss- und formbar. Es reagiert auf jeden Impuls von innen und außen und passt sich ihm an. Während der Prozess des Verhärtens und Aufweichens, des Verkürzens und Verlängerns beim Bindegewebe relativ langsam und behutsam verläuft, können Muskeln ihre Härte- und Weichheitsgrade blitzschnell verändern, um sich den Gegebenheiten anzugleichen. Unsere muskuläre Aktivität reicht von den subtilsten, feinsten inneren Bewegungen bis hin zu den grobmotorischen Fortbewegungen.
Muskeln erzeugen Bewegungsenergie. Als Bewegungsantwort hat jede einzelne Muskelzelle selbst nur drei Aktionsmöglichkeiten – unabhängig von seiner Elastizität:

- *sich verkürzen – kontrahieren*
- *sich verlängern – expandieren*
- *sich als isometrische Kraft fixieren und damit beide Bewegungen verhindern*

Ein Blick in die Muskelzelle zeigt, dass sie zu ca. 80 Prozent aus feinen, parallel angeordneten Bündeln, den Myofibrillen, besteht. Diese feinen Bündel sind genau genommen die Kontraktions- und Verlängerungseinheiten der Muskelzelle. Jede Myofibrille ihrerseits besteht wiederum aus allerfeinsten, ebenfalls parallel angeordneten Muskeleiweißbündeln, den Myofilamenten. Sie kommen in zwei verschiedenen Bündelarten vor: Aktin und Myosin.

Vornehmlich sind es unsere Muskeln, die das Erscheinungsbild unseres Körperbaus in Form, Konsistenz und Kraft prägen – natürlich stets im Team mit den Faszien. Unsere muskuläre Kraft ist der Motor, um jegliche Hebel zu bedienen. Die Gestalt unserer Bewegungen ist immer das Ergebnis der Zusammenarbeit unserer Knochen und Muskeln durch unser Bindegewebe.

Unsere Muskulatur verbraucht den größten Anteil der Nahrung und des Sauerstoffs, den wir aufnehmen und ist das metabolisch aktivste Organ, bedingt durch die hohe Muskelmasse.[34]

AKTIN UND MYOSIN – DIE GLEITFILAMENTTHEORIE

Bewegung zeigt Energie. Diese mechanische Energie sehen wir in unserem Körper in Form von Muskelarbeit. Natürlich werden unsere Muskeln immer auch durch die Nerven stimuliert, damit sie sich zusammenziehen oder wieder längen. Diese hochkomplexen Regelkreise unseres Bewegungsmotors schauen wir uns später noch differenzierter an.

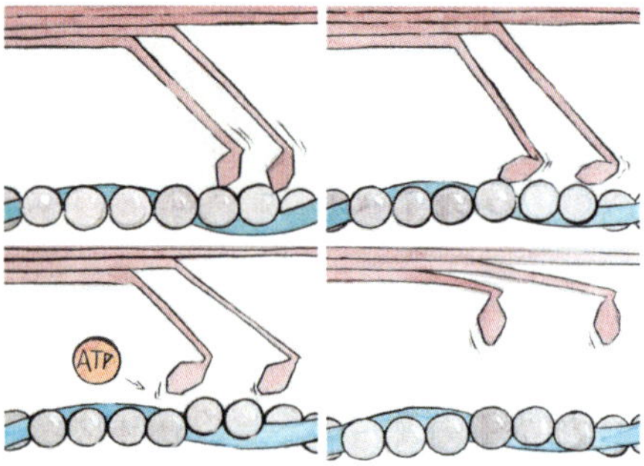

Die Vorgänge, die bei der Kontraktion von Muskelfasern eine Rolle spielen, haben Andrew Fielding Huxley und Jean Henson 1954 in der sogenannten Gleitfilamenttheorie (siehe z.B. Kahn-Academy) zusammengefasst. Sie beschreibt, wie mittels der Aktin-Myosin-Interaktion aus chemischer Energie eine mechanische Energie und sie damit in der Bewegung sichtbar wird.

Unser Körper ist eine dynamische Komposition unterschiedlicher Zellstrukturen. Dabei zählen die Aktin- und Myosin-Proteine zu den feinen, fadenförmigen Gefügen unserer Muskelfasern. Durch die Wechselwirkung dieser Eiweiße entsteht in Verbindung mit Adenosin-Triphosphat (ATP) eine mechanische Bewegung. ATP dient dabei als Brennstoff, es ist gewissermaßen die Energiewährung in biologischen Systemen.
Im Wesentlichen nutzt das Myosin ATP, um an dem Aktin-Strang entlanggleiten zu können.

POSITIVE MUSKELAKTIVITÄT

Grundsätzlich gilt: Muskeln dienen der Bewegung und weniger dem Festhalten. Das bedeutet, je freier unsere Muskeln sind, desto größer ist unser Bewegungspotenzial. Damit wir gesund und aktionsfähig bleiben, müssen unsere Muskeln zum Einsatz kommen. Wenn sich eine Muskelgruppe aktiv und rhythmisch verkürzt und verlängert, pumpt sie Flüssigkeiten durch die Kapillaren und den interzellulären Kreislauf und unterstützt so die eigene Durchblutung.

Rhythmische Muskelaktivität → Interzelluläre Kreislaufpumpe → Eigene Durchblutung

Allerdings erhöhen sich die Sauerstoff- und Nährstoffmengen signifikant, wenn ein Muskel arbeitet. Die Kehrseite sind hohe, anhaltende Spannungszustände oder Verspannungen.

VERSPANNUNGEN

Der Prozess hoher Muskelanspannung ist bis zu einem gewissen Grad unproblematisch. Doch bei ständiger Überbeanspruchung überreizen wir die eigentliche Funktionskapazität und können schnell in eine chronische Muskelverspannung abgleiten. Es ist ein Irrglaube, dass ein chronisch verspannter Muskel nicht aktiv sei. Ein dauerhaft hypertoner oder auch fixierter Muskel arbeitet auch in statischer Position. Er übt eine Zugkraft gegen einen festen Widerstand aus und verbraucht dabei wesentlich mehr Energie, als ein entspannter, ruhiger Muskel oder ein ausgewogen kraftvoll aktiver Muskel.
Das umliegende Gewebe kann durch die permanente Verspannung nicht ausreichend durchblutet werden. Durch andauernde Kontraktionen werden die Kapillaren gequetscht, durch die normalerweise Nährstoffe angeliefert und Abfallprodukte abtransportiert werden. Wird die Wand einer Kapillare eingedrückt und dabei Zellen abgeschnürt oder die innere Oberfläche verklebt, wird sie durch Narbengewebe ersetzt. Der verminderte Flüssigkeitsaustausch verhindert die Unterstützung mit sauerstoffreichem Blut. Die myofaszialen Strukturen verkleben kontinuierlich immer mehr.[35]

Ein Teufelskreis beginnt:

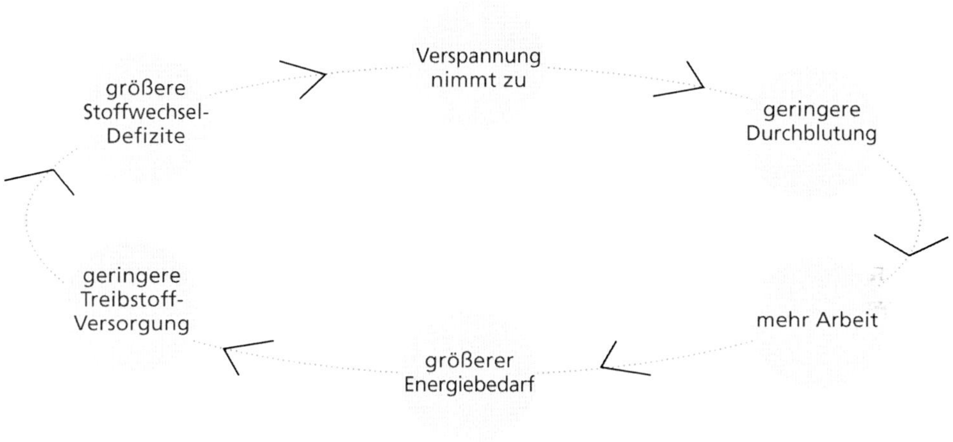

Unterbrechen wir diesen Teufelskreis nicht, kann es letztlich zu einer Gewebeerschöpfung in der befallenen, chronisch verspannten Region kommen. Deren Begleiterscheinungen können Unbehagen, Bewegungseinschränkungen und toxische Wirkungen sein. Diese Funktionsstörungen können in der Summe unseren gesamten Organismus beeinträchtigen. Bedenken wir nur, dass alleine schon ein chronisch erhöhter Druck auf unsere Nervenstränge, sich negativ auf ihre elektrische Aktivität auswirken und Schmerzen verursachen kann.

Natürlich sollten wir auch das Muskelsystem nicht für sich allein betrachten – denn alle Körpergewebe sind voneinander abhängig. Machen wir uns dies ausschnittsweise einmal am Muskelsystem klar:
Durch das Faszien-System sind die Muskelfasern in sinnvolle Zugrichtungen gegliedert, mit den Knochen verbunden und können durch ihre Kontraktionen präzise und spezielle

Körperbewegungen hervorrufen.
Mittels des Verdauungssystems kann die Versorgung der Muskelzellen mit Glukose erfolgen. Und durch die Lungen gewinnt der Organismus den Sauerstoff, der zur Verbrennung der Glukose und zur Erneuerung von ATP benötigt wird. Das Kreislaufsystem wiederum sorgt dafür, dass Glukose und Sauerstoff zu den Muskelzellen gelangen. Und nur durch spezifische elektrische Reize des Nervensystems ist die kleine Muskelzelle in der Lage, sich zu kontrahieren oder zu entspannen. [36, 37]

Bindegewebsgerüst	Anordnung der Muskelfasern in sinnvollen Zurichtungen an Knochen	Spezifische Körperbewegungen, Kontraktionen
Verdauungssystem	Nahrungsaufnahme und Aufspaltung	Versorgung der Muskelzellen mit Glukose
Lunge	Sauerstoff	Verbrennung der Glukose Erneuerung von ATP
Kreislaufsystem	Transport und Speicher	Glukose und Sauerstoff zu den Muskelzellen
Nervensystem	Elektrische Signale	Kontraktion der Muskelzellen

Nur wenn unser Körper diese lebenswichtige Infrastruktur für unsere Muskeln bereitstellt, können sie optimal arbeiten.

Es ist schwer nachvollziehbar, dass bei Beschwerden unseres Bewegungssystems meistens geröntgt wird. Leider konzentrieren sich viele Untersuchungen wie auch Hoffnungen auf zukünftige Heilungsverbesserungen immer noch auf unsere Knochen und Bänder. Dabei bleiben diejenigen im Hintergrund wirkenden Faktoren unsichtbar, die hinsichtlich Ursache und Genese entscheidend sein können.

Natürlich ist es wichtig, etwa bei Verdacht auf einen Knochenbruch, diesen auch röntgentechnisch oder durch andere bildgebende Verfahren abzuklären. Doch manche unklaren Schmerzursachen lassen sich nur auf anderer Ebene finden. In diesem Zusammenhang erinnere ich mich an einen Fall, der sich 2014 ereignete:

Ein Mann von Anfang 50 leidet unter akuten Herzrhythmusstörungen und heftigen Schmerzen in der Herzgegend, die ihn ängstigen. Während eines stationären Krankenhausaufenthalts wird er allen erdenklichen kardiologischen Untersuchungen unterzogen, um etwa ein Herzinfarktrisiko auszuschließen. Es kommt zu keinem Befund, der seine wiederkehrenden heftigen Herzrhythmusstörungen erklärt. Eine medikamentöse Therapie bleibt erfolglos. Da ihn im Vorfeld über einen längeren Zeitraum hinweg Sorgen und emotionaler Druck geplagt haben, verschreibt der Arzt ihm Beruhigungsmittel – auch dies führt zu keinem nachhaltigen Ergebnis. Über Umwege kommt der Patient zu mir. Dabei zeigt sich: Es fällt ihm schwer, sich im Stand aufzurichten, die Knie sind durchgedrückt, sein Brustbein sinkt immer wieder ein. Sein Brustkorb ist eng, die Faszien der Zwischenrippenmuskeln und des Torsos verklebt, sein linker Arm ist nicht gut in seinen Körper integriert und es besteht eine Skoliose auf Höhe des Thorax.
Mit Faszien-Rotation hat dieser Patient allmählich eine Technik erlernt, mit der er sich selbst ausrichten kann. Schon nach den ersten Bewegungssequenzen der Arme hat sich die Situation seiner linken Schulter verändert. Er bekam besser Luft, sein Atem wurde tiefer und ruhiger. Sein Brustkorb weitete sich. Er lernte, sich auszurichten und die Stabilität der Mitte aus der Rotation der Füße zu erlangen, statt sich muskulär verkrampft gerade zu halten. Die unnötig gehaltene Spannung ließ peu à peu nach. Zudem haben wir aktiv an der Länge seiner Psoas-Muskeln und seiner Ischiocrural-Muskeln gearbeitet, was sich positiv auf die Wirbelsäule auswirkte. Seine Herzrhythmusbeschwerden sind seither verschwunden, denn sie hatten ihre Ursache in den Faszien.

WIE UNSERE BEFINDLICHKEITEN UNSEREN MUSKELTONUS BESTIMMEN

„Jeder vom Gefühl getragene Gedanke hat eine Muskelveränderung zur Folge. Primäre Muskelstrukturen gehören zum biologischen Erbe des Menschen. Daher zeichnet der ganze Körper des Menschen sein emotionales Denken auf.“ [38]

Dank unserer Muskelkraft können wir uns bewegen, uns ausrichten und jede uns anatomisch mögliche Position einnehmen. Sie zieht sich als Spannkraft mit Hilfe der Faszien-Züge durch unseren gesamten Körper und setzt Hebel in Bewegung. Wie eine Grundmelodie, die alle auf ihr stattfindenden Bewegungen untermalt, ist unser Muskeltonus maßgeblich für unsere strukturelle Gestalt und Integrität. An folgendem Beispiel lässt sich erkennen, wie schnell wir wieder zu unserem Grundtonus finden, nachdem er radikal herabgesetzt wurde. Unter Vollnarkose erschlafft unsere gesamte

Muskulatur. In diesem unkontrollierten Zustand muss unser Körper mit größter Vorsicht bewegt werden, da das Gewicht der schlaffen und passiven Muskeln die Gelenke, Bänder und Knochen auseinanderziehen kann. Erstaunlicherweise tritt nach Abklingen der Narkose unser altes Erscheinungsbild wieder zutage, sobald der Muskeltonus einsetzt. Bei vollem Bewusstsein werden mit Hilfe der Muskelnerven sogar die alten phänotypischen Bewegungsmuster wieder sichtbar. Das Zusammenspiel von angemessenem Tonus und entsprechend unterstützender Reaktionsbereitschaft des gesamten Systems bringt Stabilität und Beweglichkeit hervor.

Teile unseres Nervensystems sind kontinuierlich damit beschäftigt, jeden Körperteil im Verhältnis zum gesamten Körper anzuspannen und zu entspannen – und zwar von Moment zu Moment. Nur durch ständiges Anpassen der Tonuswerte können wir angemessen reagieren und zielbewusst agieren. Ist unser Muskeltonus erhöht, fällt uns im Allgemeinen alle Aktivität schwerer und wir bewältigen unseren Alltag mühsamer. Selbst geringe Gewichte können sich subjektiv bleischwer anfühlen, wenn durch angespannte Muskeln der Tonus steigt. Umgekehrt trägt sich ein voller Wasserkrug leichter, wenn wir uns ausgeglichen fühlen. Derselbe Krug scheint jedoch sein Gewicht verändert zu haben, wenn wir ihn im angespannten, gestressten Zustand anheben. Unsere Wahrnehmung von Masse, Gewicht und Leistung hängt demnach auch von unserer körperlichen Angespanntheit ab.

Auch emotionale Stressoren haben einen erheblichen Einfluss auf unseren Muskeltonus. Denn Angst, Wut, Trauer, Freude und alle anderen emotionalen Ausdrucksformen senden sensorische Reize aus, die den Muskeltonus beeinflussen. Gleiches gilt für jeglichen Gedanken und jedes gesprochene Wort. So ziehen und zerren psycho-emotionale Bewegungen an unserem Körper und beeinträchtigen öfter, als wir denken, unsere Symmetrie. Unsere mentale und emotionale Befindlichkeit ist für die Kalkulation des gefühlten Kraftaufwands ausschlaggebend. Deshalb kann sich das Abmildern eines zu festen Muskeltonus positiv auf unseren Umgang mit zu Stress führenden Störungen auswirken. Denn egal, ob es sich um körperliche, emotionale oder kognitive Dysbalancen handelt: Es ist unser Körper, auf dessen Oberfläche und in dem sich diese Eindrücke abzeichnen. Eine Einschränkung unserer Bewegungsfreiheit – körperlich wie emotional und mental – ist meiner Meinung nach eines unserer wesentlichen Probleme.

Auch immer wiederkehrende stereotype Bewegungen führen zu charakteristischen Spannungsmustern. Erst die Vielfalt immer neuer Bewegungsimpulse durchbricht diese Tonusschemata.

Vielleicht verstehen Sie allmählich mein leidenschaftliches Plädoyer für einen entspannten und vitalen Muskeltonus, für eine größer empfundene Durchlässigkeit, für ein in die Weite gehendes Körperraumgefühl. Die Arbeit mit Faszien-Rotation bietet genau dies und ist ein leicht zu erlernendes Instrument, das in jedem Moment einsetzbar ist.

Um die Bewegungsantworten unseres Körpers besser verstehen zu können, lade ich Sie ein zu einem kleinen Exkurs in die Welt unseres Gehirns.

Das menschliche Gehirn zeigt entwicklungsgeschichtlich unterschiedlich geprägte Strukturen. So zählt etwa das Limbische System zu den ältesten Teilen unseres Gehirns. Phylogenetisch (Entwicklung durch das Tierreich – Stammesentwicklung) und ontogenetisch (Entwicklung des Menschen – Individualentwicklung) gesehen, sind die tiefliegenden Strukturen im Inneren unseres Gehirns die ursprünglichsten. Erst in der jüngsten Evolutionsphase haben sich die komplexeren Strukturen gebildet, wie der walnussartige präfrontale Kortex (Hirnrinde), der direkt hinter unserer Stirn sitzt und besonders hochentwickelt ist. Dies spiegelt sich auch in der Geschichte der Bewegungsentwicklung wider.

In unserer embryonalen Phase ist es unser Gehirn, das am schnellsten wächst und sich differenziert. Schon in der dritten Woche formen sich aus der Neuralröhre drei Primärvesikel und unterteilen unser Gehirn grob in das Hinterhirn, Mittelhirn und Vorderhirn. In dieser Phase hat unser Gehirn noch die gleiche Grundstruktur wie das Rückenmark.
Während sich der Neuralschlauch in den nächsten Wochen biegt und wölbt, keimen immer mehr Gehirnnerven aus dem Hinterhirn. Das Vorderhirn gliedert sich in zwei weitere Abschnitte, das paarige Endhirn, auch Großhirn genannt (Telenzephalon) und das Zwischenhirn (Dienzephalon). Das Hinterhirn teilt sich in das Mezenzephalon (Kleinhirn und Brücke) und die Medulla oblongata (das verlängerte Rückenmark), während das Vorderhirn sich weiter zum Großhirn entwickelt und über das Mittelhirn legt. Bis zur Geburt wächst das Großhirn weiter und es entstehen viele Windungen, die an eine Walnuss erinnern.

Das limbische System (von lat.: limbus = Saum, Grenze) fasst den oberen Hirnstamm ein und verbindet das Mittelhirn mit der Hirnrinde. Die Elemente dieses ringförmigen Gebildes spielen eine wichtige Rolle bei unseren unbewussten, instinktiven Handlungen und Regungen. Gefühle sind wesentlich archaischer als jeder sprachlich formulierte Gedanke. Dennoch lassen sich die Strukturen, die sich mit der Verarbeitung unserer Gefühle und unserer Gedächtnisleistung befassen, nicht scharf voneinander trennen, beeinflussen sie sich doch gegenseitig.
Und so finden sich in der Literatur durchaus unterschiedliche Meinungen darüber, was alles zum limbischen System gehört. Einigkeit besteht bei Hippocampus, Amygdala, Gyrus cinguli und Gyrus parahippocampalis. Zusätzlich werden oftmals das Riechhirn – inklusive Septum – und Teile des Thalamus genannt. In dem hochkomplexen Gebilde des menschlichen Gehirns hat jede einzelne Struktur wichtige funktionelle Verbindungen zu den Steuerungszentren in die anderen Hirnregionen. [39 40 41]

Die Entwicklung auf psychomotorischer Ebene bewegt sich in ähnlicher Weise von primitiv zu hoch komplex, von Spinalbewegungen zum aufrechten Gang, vom Bewusstseinsgrad des „All-Eins-Seins" zur Differenzierung und Integration.

Damit jeder neue Entwicklungsschritt auf einem guten Fundament aufbauen kann, ist es sinnvoll, die Erfahrungen der jeweiligen Entwicklungsphase möglichst intensiv, gründlich und vollkommen zu erfahren und zu durchleben. So ist es uns möglich, sie in sich abzuschließen. Es entsteht eine gewisse Grundsicherheit, ein Vertrauen für alle, auf dieser Erfahrung aufbauenden Stufen bis hin zu dem hochentwickelten Potential des Kortex (Großhirn). Die Integration aller einzelnen Entstehungs- und Wachstumsphasen geschieht also Schritt für Schritt. Je intensiver unsere frühesten Bewegungen – innere wie äußere – erlebt und etabliert werden, desto größer sind später die Ausdrucksmöglichkeiten aller Gehirnareale.

Die Pionierin des Body-Mind-Centering Bonnie Bainbridge Cohen fasste diesen Gedanken in die Worte: „Ganzheitliche Entwicklung findet statt in sich überlappenden, aufeinander basierenden Phasen".

DAS „EMOTIONALE GEHIRN"

Lange galt das limbische System als Zentrum unserer Emotionen, Triebe und Urreflexe und wurde so auch als unser „emotionales Gehirn" bezeichnet. Es ist der meist unbewusst, zuallererst auf das Überleben bedachte Teil und ist eng mit unserem körperlichen Befinden verbunden. Die Struktur der Zellanordnung ist hier weitgehend einfach und rudimentär. Diese Nervenzellen sind miteinander verschmolzen und Informationen können schneller und unkomplizierter verarbeitet werden, was in Notsituationen ein überlebenswichtiger Vorteil sein kann. Unser emotionales Gehirn wacht im Hintergrund, überprüft ständig die Situation und gleicht sie mit älteren Erfahrungen ab. In Notsituationen übernimmt es die Führung, lässt uns handeln, ohne ein Für und Wider lange abzuwägen.

Diese eng vernetzte Gruppe von Hirnarealen sendet Informationen in die verschiedenen Bereiche des Großhirns und auch des Hirnstammes aus. Gleichzeitig erhält es aus allen Bereichen unseres Körpers kontinuierlich sensorische Nachrichten und versucht, diese mit unseren körperlichen Bedürfnissen zu koordinieren. So kontrolliert es den Großteil unserer Körperphysiologie. Davon betroffen sind unsere Atmung, unser Herzrhythmus und Blutdruck, unser Appetit- und Schlafverhalten, unsere Libido und die Ausschüttung von Hormonen sowie unser Immunsystem.[42] [43] [44] Es ist zudem für unsere unbewussten Bewegungsantriebe verantwortlich und unter anderem für unseren Muskeltonus und die Längenänderung unserer Muskeln durch das gammamotorische System zuständig.[45]

DAS „KOGNITIVE GEHIRN"

Der Kortex (Großhirnrinde) ist der höchstentwickelte und jüngste Teil unseres Gehirns. Unsere Großhirnrinde gilt als das Zentrum für unser analytisches und kreatives Denken, bewusstes Lernen, Vorstellungsvermögen, unseren Intellekt und unsere Imagination, und es reguliert unsere Sprache und Wahrnehmung. Bewusst, rational und der Außenwelt zugewandt können wir hier mit Neuem experimentieren. Sie kontrolliert unsere freiwilligen Aktionen, Bewegungsabläufe und komplexen Fertigkeiten über das Alpha-System und speichert diese als Erinnerung ab. Auch werden hier sensorische Informationen durch das Faszien-Muskelsystem als Ganzes verarbeitet.

Die Oberfläche unserer Großhirnrinde (Kortex) ist gefaltet und umhüllt Teile des „emotionalen Gehirns". Dass wir fähig sind, strukturiert zu denken, haben wir den exakt regelmäßig angeordnet sechs Neuronenschichten unseres Neokortex, der multisensorische und motorische Teil des Kortex, zu verdanken. Er verarbeitet Informationen ähnlich wie ein Mikroprozessor. Es zeichnet uns aus, uns Dinge und Symbole vorzustellen, sie zu visualisieren und unsere Zukunft zu planen.[46] Bei außergewöhnlichem Stress ist er allerdings nicht immer imstande, situationsgemäß zu reagieren. Er kann durch unser Limbisches System mit einer Dosis Adrenalin außer Gefecht gesetzt werden. So lässt sich erklären, wie es zu einer emotionalen Kurzschlussreaktion kommen kann.

HAND IN HAND

„Wir sollten uns davor hüten, den Intellekt zu unserem Gott zu machen. Gewiss, er hat starke Muskeln, jedoch keine Persönlichkeit. Er darf nicht herrschen; nur dienen."[47]

Unser emotionales und kognitives System sind nicht als ein jeweils in sich geschlossenes System zu sehen, weder anatomisch noch funktionell, sondern eng miteinander verknüpft. Unsere Lebenserfahrung und unser Verhalten werden durch alle Gehirnareale ganz unterschiedlich beeinflusst – ein evolutionstechnischer Trumpf. Die Fähigkeit, uns variabel auszudrücken und die Funktionen des Großhirns zu entfalten, hängen stark davon ab, wie sehr die Grundfertigkeiten des früher entwickelten Stammhirns integriert sind.
Die Kontrolle unserer bewussten Wahrnehmung ist dem kognitiven Gehirn zugänglicher. Hier geben wir willentlich Befehle an unsere Muskeln weiter.
Dem gegenüber stehen die tieferliegenden Schichten des Hirnstamms, Ort unbewusster autonomer Kontrollmechanismen, unserer bewussten Wahrnehmung in der Regel eher nicht offen. Von hier aus nehmen in erster Linie unbewusste Impulse ihren Weg, die die Ausrichtung und den Tonus unseres Körpers als Ganzes anpassen, um bewusste, willkürliche Bewegungen zu unterstützen.[48]

Unser emotionales und kognitives Gehirn empfangen die von außen kommenden Reize fast gleichzeitig. Unser Glücklichsein hängt stark davon ab, wie gut sie kooperieren. Versucht der eine Hirnbereich, die Kontrolle über den anderen zu erlangen, stehen wir unter Spannung und fühlen uns unwohl. Ergänzen sie sich, verspüren wir eine harmonische Grundstimmung. Wenn unser kognitives Gehirn unserem emotionalen Gehirn dienen würde, dann würden wir entsprechend unserem Herzen vernünftig handeln. Allerdings verlangt unser emotionales Gehirn oft sehr unvernünftige, ja gefährliche Handlungen oder Entscheidungen. Deshalb ist ein gleichberechtigtes und ausgewogenes Verhältnis beider Systeme für uns existenziell wichtig.[49]

Auch für unser soziales Miteinander ist eine Ausgewogenheit zwischen den emotionalen und kognitiven Funktionen wichtig. Dann sind wir imstande, angemessen zu agieren. Nur so können wir die komplexen Beziehungen zwischen uns und anderen aufrechterhalten und uns entsprechend sozial verhalten und bewegen. Dass wir uns bewegen können, haben wir einem in sich komplexen Steuerungssystem zu verdanken.

Zusammen sind beide Systeme für uns überlebenswichtig und schaffen neue Möglichkeiten. Vermitteln sie uns doch eine gewisse Balance zwischen Stabilität und Flexibilität, dem Alt-Bekanntem und noch Unbekannten und Neuen, der muskulären Weisheit und der zielgerichteten Bewegungsvorstellung. Dieses Sensor-Motor-Wechselspiel ist die Grundlage für die Entwicklung neuer Fertigkeiten. Bewusste, bedeutungs- und sinnvolle Wahrnehmung kann erst entstehen, wenn die Empfindungen aller unbewussten und bewussten Prozesse ausgewertet und integriert werden.

BEWEGUNGSSTEUERUNG

Um Bewegungen unter anderem auch zielgerichtet, intentional oder spontan ausführen zu können, muss der Körper nicht nur Impulse geben, sondern deren Wirkung erkennen. Muskeln und Nerven geben sich ständig ein Feedback und beeinflussen sich gegenseitig.
Die willentliche Bewegungssteuerung ist lediglich auf einem kleinen Teil der Großhirnrinde lokalisiert, dem motorischen Kortex (Gyrus präcentralis).

Das System ist hochkomplex und enorm ausgeklügelt: Jede motorische Aktion löst Reize aus. Mit der sensoriellen Antwort gefärbt erfolgt die motorische Reaktion, die einen Reiz auslöst und so weiter. Diese konkreten Rückmeldungsschleifen laufen auf zwei Ebenen ab: Dem Stammhirn und dem Kortex. Sie durchdringen, beeinflussen und bedingen sich immer gegenseitig. Das Kleinhirn (Cerebellum) ist die Sammelstelle aller Informationen aus diesen Regelkreisen. Es überprüft die Körperinformationen und justiert gegebenenfalls nach.

Unser ganzer Körper ist seine eigene innere und äußere Reibungs- und Berührungsfläche und gleichzeitig Ausdruck dieser Wahrnehmung. Es wird deutlich, dass unsere Muskelaktivität an unserer Sinneserfahrung beteiligt ist. Wir können sie also nicht auf einen rein mechanischen und hydraulischen Effekt dieses Körpersystems beschränken, sondern sind immer auch unausweichlich beteiligt. Kontinuierlich wirkt eine Flut von sensorischen Informationen über unsere Umwelt auf unser Zentralnervensystem ein und bildet sich in unseren musku-

lären Reaktionen ab. Die Vielfalt der Ausdrucksmöglichkeiten unserer Bewegung zeigen, was wir von uns und der Welt wissen bzw. meinen zu wissen. Insofern ist Bewegung ein wesentliches Kriterium, unser Nervensystem und seine kontinuierlichen Wechselwirkungen in eine ganzheitliche Beziehung zu integrieren.
Assoziative, kognitive Prozesse kooperieren mit sensorischen Elementen. Sie bedingen sich wechselseitig und gestalten aus der Dynamik sensorischer Information und motorischer Organisation unsere Wirklichkeit. Wollen wir nun einschränkende oder kraftraubende Bewegungsmuster nachhaltig verändern und gleichsam eine vitale Körperspannkraft und gesunde Ausrichtung trainieren, so bedarf es immer unserer Wahrnehmung. Nur so können wir neue Impulse bewusst integrieren und diese aktivieren. Dies setzt einen vertrauensvollen, sicheren Raum voraus!

MOTOR-SENSOR-PROZESSE

Mit dem folgenden Abschnitt über das sensible System der Feinmotorik unserer Bewegungsmechanik ist es mir ein Anliegen, den Wert des kraftvollen Längens in Faszien-Rotation nachvollziehbar zu vermitteln. Auch geht es mir um einen Erkenntnisgewinn bezüglich bewusster Bewegungsempfindung und differenzierter Körperwahrnehmung. Deshalb möchte ich an dieser Stelle einen groben Einblick in die subtilen Motor-Sensor-Prozesse unseres Körpers geben.

Lassen Sie uns vorweg kurz ein paar Begriffe klären:

AFFERENZ UND EFFERENZ

Afferenz = Leitungsrichtung zum Zentralnervensystem.
Die Weiterleitung von Informationen und Befehlen der Sinnesorgane oder sonstigen sensiblen oder sensorischen Rezeptoren von den Muskeln (Rezeptor: Muskelspindeln), Sehnen, Organen oder der Haut (Tastsinn) zum Rückenmark erfolgt über sensible Nervenzellen.

Efferenz = Leitungsrichtung aus dem Zentralnervensystem.
Die Weiterleitung von Impulsen vom Rückenmark zu Muskeln oder Drüsen erfolgt über motorische Nerven.[50]

Motoneurone = motorisches Neuron = efferente Nervenzellen
Dies sind Nervenzellen, die unsere Muskulatur innervieren und damit für die aktive Kontraktion unserer Skelettmuskeln sorgen. Sie übertragen Informationen vom Gehirn zu den Muskeln oder Drüsen.

Sensorisch Neurone = afferente Nervenzellen
Dies sind Nervenzellen, die Information von den Sinnesorganen zum Zentralnervensystem leiten.[51]

Wir unterscheiden:
α-Motoneurone (Alpha-Motoneuron) = innervieren die extrafusalen (außerhalb der Muskelspindel liegend) Muskelzellen und sind für die Kontraktion zuständig. Circa 70 Prozent aller Motoneurone sind Alpha-Motoneurone.

γ-Motoneurone (Gamma-Motoneuron) = innervieren die intrafusalen (innerhalb der Muskelspindel liegend) Muskelzellen der Muskelspindeln. Circa 30 Prozent aller Motoneuronen sind Gamma-Motoneurone.[52]

DIE MUSKELSPINDELN

Zählen zu den Propriorezeptoren. Diese Messorgane sind in großer Anzahl parallel in die Skelettmuskulatur eingebettet und geben Signale über Körperbewegung und -lage im Raum, über die Dehnungs- und Kontraktionszustände entsprechender Muskeln an das zentrale Nervensystem weiter und dienen so unserer Tiefensensibilität.
Die Muskelspindeln sind hochkomplexe und ausgeklügelte Sinnesorgane. Durch sie lassen sich Phänomene wie Muskeltonus, Körperausrichtung, vererbte Reflexe (Saugen, Schlucken), erlernte Fertigkeiten (Gehen, Schreiben, Autofahren etc.), Feinmotorik, und alle anderen Muskelreaktionen erklären.[53]

Drei bis zehn Muskelfasern, von einer lockeren Bindegewebshülle umgeben, bilden die Muskelspindeln (bis zu 3 mm lang). Sie bestehen aus intrafusalen Muskelfasern an ihren beiden Enden, die durch γ-Motoneurone (efferent) innerviert werden, und einem dehnungsempfindlichen Rezeptor, der durch Nervenfasern (afferent) sensorisch abgetastet bzw. versorgt wird. Muskelspindeln haben die einzigartige Eigenschaft, als motorische Einheit gleichzeitig eine sensorische Funktion zu besitzen und so eine Eigenregulation durchführen zu können. Hier verbinden sich physiologisch der lokale sensorische Impuls (afferent) mit der lokalen motorischen Reaktion (efferent) auf engste Weise. In diesem Reflexbogen gibt es keine Barrieren oder Botenstoffe als Mittler zwischen Bewegung und Empfindung, was eine sehr schnelle Reaktion der Muskulatur ermöglicht. Hier reichen sich quasi die beiden Hälften des Nervensystems die Hände und geben sich ein direktes Feedback. Das macht die Muskelspindel besonders interessant.[54] [55]

Die Anzahl von Muskelspindeln in den großen Rumpfmuskeln ist vergleichsweise gering (etwa 1 Spindel/g Muskulatur), während sie in kleinen, der Bewegungs-Feinregulation dienenden Muskeln (mimische Muskulatur, Handmuskulatur) Werte von etwa 140 Spindeln/g Muskulatur erreicht.[56]

Zum **Spindelreflexbogen** gehören der sensorische Nerv und die Alpha-Motoneurone. Der Zellkörper des sensorischen Nervs beginnt im Rückenmark und innerviert den Dehnungsrezeptor einer Muskelspindel. Die Alpha-Motoneurone stimulieren den Skelettmuskel in der Umgebung dieser Muskelspindel. Ihr gemeinsamer synaptischer Kontakt liegt im Rückenmark. Der dehnungsempfindliche Sensor (anulospiraler Rezeptor) im Mittelteil der Muskelspindel erfasst präzise die Muskellänge vor, während und nach einer Bewegung. Er bemisst und registriert eine mögliche Verlängerung, Verkürzung und die Geschwindigkeit, mit der diese Veränderung geschieht und leitet diese sensorischen Informationen an Motoneuronen im Rückenmark.

Dehnen wir uns, spannt sich die Muskelspindel; bei Kontraktion entspannt sie sich. Das bedeutet, dass der Zellkörper eines Alpha-Motoneurons nicht nur motorische Befehle unseres Gehirns empfängt, sondern durch ein sensorisches Signal auch aus der Muskelspindel der gleichen motorischen Einheit des Skelettmuskels. Diese sensorische-zu-motorische-Synapse im Rückenmark bildet einen Reflexbogen. Während wir uns bewegen, werden also unsere Muskeln über diese Feedbackschleife kontinuierlich über ihre aktuellen Aktivitäten informiert und gegebenenfalls modifiziert. Diese Rückkopplungsprozesse finden vorwiegend im Rückenmark statt und entziehen sich unserer bewussten Wahrnehmung.[57]

ALPHA- UND GAMMA-SYSTEM: Zwei motorische Steuerungs-Systeme

Das Alpha-System wirkt direkt auf unsere Skelettmuskeln durch bewusste Befehle des motorischen Kortex und der Alpha-Neuronen (z. B. ein Schritt vorwärts, linkes Bein anheben etc.). Es beginnt im motorischen Kortex und führt über die motorischen Endplatten letztlich zu den einzelnen Zellen der jeweiligen motorischen Einheit unserer Skelettmuskeln.
Das Gamma-System dagegen arbeitet größtenteils außerhalb unserer bewussten Wahrnehmung, da es mit den älteren Sinneszentren unseres Stammhirns verbunden ist. Es steuert über Gamma-Neuronen die Länge der Intrafusalfasern der Muskelspindeln.[58]

„Das Gamma-System enthält die muskuläre Weisheit unserer Vorfahren, während das Alpha-System den Weg frei macht heraus aus dem beschränkten Kreis der Urreflexe“. [59]

Ihr Zusammenwirken garantiert unser Überleben und ermöglicht uns gleichzeitig, neue Fähigkeiten und Fertigkeiten zu entwickeln.

Die periphere Verbindung beider motorischer Systeme finden wir im Dehnungsrezeptor der Muskelspindel. Unabhängig davon, aus welchem System der Bewegungsimpuls erfolgte, wird der Spindel-Rezeptor entweder gedehnt oder komprimiert, so dass wiederum, durch seine sensorielle Rückmeldung über die Rückenmark-Reflexbögen automatisch im anderen motorischen System wechselseitige Impulse übergeleitet werden.[60]

Durch das Alpha-System ausgelöste Kontraktionen erfolgen auf direktem Weg und dauern deshalb nur solange an, wie die Muskeln Signale empfangen. Auf Ebene des Gamma-Systems werden Muskelkontraktionen solange über das messende Spindelsystem hervorgerufen, bis eine festgelegte Länge erreicht ist.

Längenänderungen können durch Regulation der intrafusalen Fasern ausgeglichen werden. Dadurch bleibt ein konstanter Tonus aufrechterhalten. Durch den Eigendehnungsreflex wird der Muskel vor Überdehnung geschützt.[61]

Das bedeutet, dass ein reines Dehnen eines Muskels keine Nachhaltigkeit besitzt, da der Muskel im Anschluss an seine Dehnung in seinen alten Sollzustand zurückfällt. Im Gegensatz dazu verändert das kraftvolle Längen in Faszien-Rotation das Längengefühl des Muskels im Inneren. Hier erhalten die Muskelfasern Messeinheiten aus zwei zeitgleich entgegengesetzten Bewegungsausführungen: dem Dehnen und der Kontraktion. Dies führt zu einer nachhaltigen Wirkung, die sofort spür- und sichtbar ist.

DIE SEHNENSPINDEL = DAS GOLGI-SEHNENORGAN

Nicht nur unsere Muskeln besitzen Propriorezeptoren, sondern auch unsere Sehnen. Das sogenannte Golgi-Sehnenorgan ist ein raffiniertes Element in unserer Bewegungsmotorik. Diese Spannungssensoren sitzen in den Kollagen-Bündeln und durchziehen die Übergangszonen von Muskeln zu Sehnen mit ihren hoch sensiblen Fasern. Sie messen und regulieren die für die Feinsteuerung und für die Bewegungskoordination wichtigen Spannungszustände und dienen der Tiefensensibilität. Auch sie verbinden unsere sensorischen und motorischen Funktionen und spielen so eine wichtige Rolle. Sie erhalten Reize durch das Zusammenziehen und Dehnen der Sehne. Verkürzt sich der Muskel, werden die Sehnenspindeln gedehnt. Ihre Impulsantworten haben dabei allerdings eine hemmende Wirkung auf unseren kontrahierenden Muskel und eine anregende auf seinen Gegenspieler. Da sie Veränderungen unserer Muskelkraft erkennen, werden unsere Sehnen vor dem Zerreißen geschützt.[62]

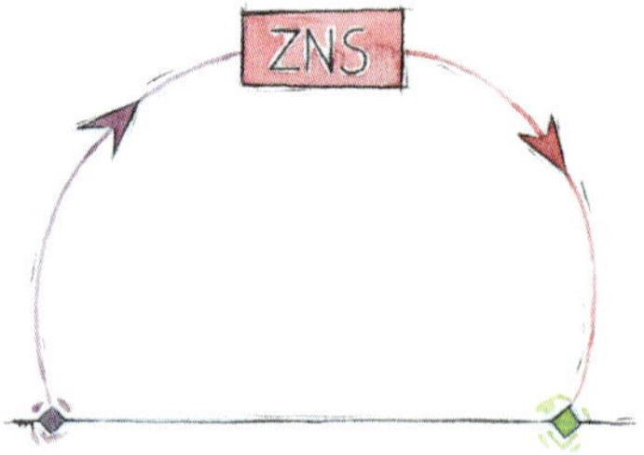

DER GOLGI-REFLEXBOGEN

Sowohl die Muskelspindeln wie auch die Sehnenspindeln stehen im Synapsen-Kontakt mit Motoneuronen im Rückenmark. Da sich beide Rezeptoren sogar mit dem gleichen Motoneuron verbinden, werden die Muskelzellen angesprochen, die den Zug auf die Sehnenfasern aktivieren, in denen entsprechend genau diese Sehnenspindel liegt. Ihre

Impulsantworten ergänzen einander: Während die Muskelspindel anregend wirkt und eine Muskelkontraktion hervorruft, übt die Sehnenspindel eine hemmende Wirkung auf den motorischen Nerv aus und senkt die Spannung. Dank dieser Feedback-Schleife werden unsere Muskeln vor Überdehnung und teilweise vor ihrer eigenen Kraft geschützt.[63]

DAS ZUSAMMENSPIEL VON SEHNENSPINDEL UND MUSKELSPINDEL

Unser zentrales Nervensystem wird also über die Aktionen all unserer Muskelfasern von beiden Steuerungssystemen ununterbrochen auf dem Laufenden gehalten. Dabei werden kontinuierlich jegliche Spannungsveränderungen und Längenunterschiede durch das Feedbacksystem unserer Muskelspindeln bemessen und angepasst und die Stärke (Frequenz) dieser Muskelkontraktion durch unsere Sehnenspindeln abgeglichen und reguliert. Es ist ein ständiges Austarieren zwischen einem Zuviel und einem Zuwenig, um einen angemessenen Kraftaufwand zu gewährleisten. Durch die Feinjustierung unserer Muskelfasern bleiben unsere Gelenke bei allen Bewegungen am richtigen Platz. So sorgen unsere Muskel- und Sehnenspindeln als essentielle Komponenten dieses komplexen Steuerungs- und Regelsystems dafür, dass wir ein Gespür für unsere individuelle Spannung entwickeln und diese als normal empfinden.[64] Dass dieser Modifizierungsprozess jeglicher muskulärer Antwortreaktionen automatisch und nahezu synchron ablaufen kann, liegt an den jeweiligen direkten synaptischen Verbindungen zu Alpha-Neuronen im Rückenmark.

„Die Muskel- und Sehnenorgane messen keine äußeren Eigenschaften, sondern die reine Masse eines Objekts. Masse hat nichts mit Oberflächeneigenschaften zu tun; sie ist ein Maß für den Widerstand, den ein Objekt einer Bewegung entgegensetzt. Seinen Wert erfahre ich erst, wenn ich das Objekt aktiv bewege. Die Golgi-Sehnenorgane messen den genauen Wert dieses Widerstandes; (…) – die unsichtbare und wichtige Eigenschaft jeglicher Materie." [65]

Es handelt sich hierbei jedoch keineswegs um einen simplen, mechanisch ablaufenden Automatismus. Denn unsere hochsensiblen Nervenzellen erhalten Reize aus Tausenden von Neuronen gleichzeitig.

Fassen wir zusammen: Unsere Gedanken und Gefühle beeinflussen sehr eindrücklich unseren körperlichen Grundtonus. Wer kennt das nicht, wenn uns innerer Druck, negative Erlebnisse und Sorgen körperlich belasten, uns nach unten ziehen, sich in gedankenschnelle alles schwerer anfühlt als zuvor? Sich eine physische Trägheit breit macht, wenn wir aus unserem Gedankenkarussell nicht mehr herauskommen? Wie sich alles in uns zusammenzieht, ganz eng wird, wenn wir Angst haben oder uns bedroht fühlen oder die geballte Wut in uns spüren? Oder wir paralysiert in Ohnmachtsgefühlen verharren? Oder mit Leichtigkeit und Freude Bäume ausreißen, Purzelbäume schlagen und die ganze Welt umarmen könnten?

Und genauso umgekehrt: Mit einem höheren Muskeltonus verändert sich unsere Wahrnehmung von Gewicht und Kraftaufwand.
Alpha- und Gamma-System, kortikale und limbische Bewegungssteuerung vereinen sich in unserem Körper. Letztlich ist unser Bewegungstonus der sichtbare Ausdruck unseres gesamten Nervensystems. Die Rezeptoren sind lediglich die Messorgane dieses Zusammenspiels.
Wird allerdings ein Negativ-Kreislauf nicht unterbrochen, verstärken sich die Spannungszustände durch die kontinuierlichen Informationen und Anpassungen aus den spinalen Reflexbögen. Ein Teufelskreis beginnt, der mitunter bis zu ganzkörperlichen Erschöpfungszuständen und Gewebestörungen führen kann.

Diesen gilt es zu unterbrechen. Das kann nur gelingen, wenn wir direkt im Körper Impuls gebend ansetzen und nicht kognitiv versuchen, neue mentale Antriebsstrategien auf ein, in negativer Spannung fest gelaufenes Reflexsystem des Körpers zu legen. Wir brauchen eine neue Ausrichtung innerer Modi sowohl auf Gewebe- als auch auf emotionaler und sinnlicher Ebene.
Durch das kraftvolle Längen werden unsere Muskeln von innen heraus umorganisiert, da neue Stimuli zeitgleich aus zwei Bewegungsrichtungen auf sie einwirken: gleichzeitige Dehnung und Kontraktion.
Wir erleben eine wirkliche Länge und in Kombination mit der aufgebauten Tensegritäts-Architektur erhalten unsere Muskeln vitale Spannkraft. Dank der faszialen Verbundenheit ordnen sich unsere inneren Strukturen entlang der myofaszialen Leitbahnen aufs Neue.

„Nicht die Muskeln müssen geändert werden, sondern der innere Leistungssinn, der sie lenkt." [66]

Diese subtile Bewegungsmodifikation verändert unsere Körperwahrnehmung und ermöglicht, festgefahrenen und blockierten Gefühlen wieder in Bewegung zu kommen und sich neu zu regulieren.
Jetzt haben wir eine Chance, auch diesen inneren Regungen eine Richtung zu geben, sie zu ordnen und zu integrieren.
Lernen wir, die rotierende Kraft von unten her aufzubauen, werden wir gut geerdet und gewinnen an Stabilität – äußerlich wie innerlich.
Faszien-Rotation ist ein wirksames Tool, auf neuro-muskulärer Ebene zu intervenieren, um alte Muster sanft zu lösen. Wir erhalten gleichzeitig ein neues Angebot an Bewegungsimpulsen. Dadurch, dass wir selber immer fähiger werden, diese Veränderungen eigenständig zu initiieren, erleben wir ein hohes Maß an Selbstwirksamkeit. Wir sind diejenigen, die uns immer wieder neu „selbst aktualisieren", uns zu unserer Kraft führen können. Je erfahrener wir in Faszien-Rotation werden, desto bewusster können wir auch körperlich regulieren und desto flexibler interagieren. Wir sind in der Lage, immer angemessener den Bewegungen des Lebens zu begegnen.
Je höher der Grad der Viskoelastizität unseres Faszien-Gewebes ist, desto größer ist der Spielraum, in dem die Spannungswerte unseres Sensor-Motor-Systems angepasst werden können. Unsere Reaktionsmodi sind dadurch vielfältiger und unsere Gestaltungsmöglichkeiten differenzierter.

DAS KLEINHIRN – EIN MEISTER

Unser Kleinhirn liegt in der hinteren Schädelgrube und hat nur ein Siebtel des Volumens unseres Kortex. Es ist die Schaltzentrale der hochkomplizierten sensomotorischen Koordination.
Hier findet die Integration von Alpha- und Gamma-System statt. Hier laufen alle Informationen des großräumigen Regelkreises zusammen, ohne jemals selbst aktiv in den Regelkreis einzugreifen. Es ist ein Ort höchster Aktivität: Das Kleinhirn überwacht und steuert die Muskeltätigkeit unter Berücksichtigung aller sensorischer Daten über die Positionen der Körperteile und ihrer Stabilität unter der Einwirkung der Schwerkraft; es regelt somit unseren Muskeltonus. [67] [68]

Nur durch die unermüdliche Steuerung durch unser Kleinhirn gelangen wir zu präzisen, geschmeidigen und angemessenen Bewegungen. Das ist nicht die einzige Kunst, die es beherrscht. Das Kleinhirn sichert auch unser Gleichgewicht, passt immer auf uns auf und sorgt für die notwendigen Ausgleichskontraktionen. Dabei achtet es besonders auf die sensorischen Informationen aller Körperregionen bezüglich des Vestibularsystems des Innenohres. Ist unsere aufrechte Stabilität gefährdet, sendet es gleichzeitig zu Füßen, Beinen und Rumpf Signale zur Änderung des muskulären Tonus und zur Neueinstellung der Längen und Spannungen. Ebenso sind hier komplexe Bewegungsabläufe gespeichert (z.B. Fahrradfahren).

Neben den sensorischen Erfahrungen und muskulären Reaktionen spielen auch kognitive Einflüsse im Kleinhirn eine Rolle. So können wir mit Faszien-Rotation tiefgreifende und nachhaltige Wirkungen auf motorische Verhaltensmuster erzielen.
Weil das Kleinhirn die Schaltzentrale ist, in der alle Eindrücke sensorischer und motorischer Art zusammenfließen und über spezifischen Muskeltonus sichtbaren Ausdruck erlangen, bin ich davon überzeugt, dass nicht nur emotional-sensorielle, sondern auch kognitive und sprachliche Einflüsse eine große Wirkung auf unseren Muskeltonus haben. Und wenn das so ist, hat Sprache eine Kraft, die nicht hoch genug eingeschätzt werden kann – und zwar nicht nur, wie wir etwas sagen, sondern auch was wir sagen, welche Worte wir benutzen, welche Richtungsqualität sie im Körper hervorrufen. Damit nimmt auch die Wirkkraft von Sprache in der Faszien-Rotation großen Raum ein.

WIR ERINNERN UNS: AUSRICHTUNG VERSUS HALTUNG

Emotionale Erlebnisse, Angstzustände, traumatische Erfahrungen, Stress und Eindrücke jeglicher Art können bleibende Spuren im Körper hinterlassen. Jede typische Körperhaltung ist nichts anderes als eine Fixierung, an deren Anfang oftmals eine Ausweichbewegung oder Kompensation, ein unbewusster Gedanke oder eine Emotion stand. Es scheint, als würden manche Menschen sich körperlich zusammenziehen, ja zusammenreißen, um ihr Leiden zu ertragen.

Ohne eine Vorstellung alternativer Bewegungen oder Ausrichtungsimpulsen wiederholen sich die Spannungsmuster. Über die Propriorezeptoren werden sie als ein „So ist es nun!" in der Tiefe wahrgenommen und schreiben sich weiter in unseren Körper ein. Sie fixieren sich bis hin zu einer fest verankerten Haltung – und im schlimmsten Fall zu einem Haltungsschaden. Nach einer Zeit ist der Punkt erreicht, an dem eine Fixierung zu so etwas wie einer Eigenart, etwas für die Person Typischem wird. Es scheint nicht mehr das zu sein, was jemand tut, sondern das, was jemand geworden ist. Es scheint, als ob sich die gesamte Person mit all ihren Ansichten – die inzwischen auch schon zu Haltungen geworden sind – in etwas eingehüllt hat, was ursprünglich einmal Schutz, Überlebensmechanismus oder Ausweichmanöver gewesen ist. Es braucht erst einmal ein achtsames Sein mit dem, was sich zeigt. Dann reicht häufig ein sanfter Impuls, um zu einer heilsamen Bewegung einzuladen. Allzu schnell führen sensorielle Reize aus unbewussten Prozessen in eine Einbahnstraße und engen uns auf Dauer ein. Ein Lösen auf physischer Ebene wirkt sich auch auf unseren emotionalen und mentalen Körper aus und führt zu einem konstruktiven Wandel. Dabei können alte, angestaute, unterdrückte oder unnötig gehaltene Energien wieder ins Fließen kommen. Und auf Dauer treten neue, förderliche Erfahrungen an die Stelle von alten.

Bewegung und Berührung können Mittel sein, auf der lokalen Gewebeebene eine Besserung hervorzurufen. Faszien-Rotation setzt genau hier neue Impulse und stimuliert sanft die alten neuro-muskulären Muster und bietet gleichzeitig alternative Bewegungs- und Ausrichtungsimpulse. Dies geht Hand in Hand mit einer Änderung des Gefühlszustands.

„Wenn jemand sich mit seinem ‚körperlichen' Gleichgewicht verändert, gewinnt er auch als Mensch mehr Gleichgewicht." [69]

Á propos Gleichgewicht:

DIE WIRBELSÄULE

Unsere Wirbelsäule spielt bei der Ausrichtung die Hauptrolle. Sie ist die Drehachse unseres Lebens. Sie sichert auch unser Rückenmark, dem mechanisch gefährdetsten Teil unseres Zentralnervensystems. Die Wirbelsäule ist stabil und bietet unseren inneren Organen Schutz. Sie ist flexibel und gewährt genügend Bewegungsspielraum bei den Atem- und Verdauungsvorgängen, den Organbewegungen und den Veränderungen unseres Körpervolumens. Abhängig vom Grad ihrer Beweglichkeit können wir uns mehr oder weniger zur Seite neigen, nach vorne beugen, nach hinten strecken und den Torso drehen. Durch eine gesunde Wirbelsäule gewinnen wir eine große Bewegungsvielfalt unseres gesamten Körpers.

Unsere Achse lässt sich als Säule in der Säule beschreiben. Die innere weiche Säule besteht aus Rückenmark, Gehirn-Rückenmarks-Flüssigkeit (Zerebrospinalflüssigkeit) und dem verlängerten Mark (Medulla oblangata). Die äußere Säule ist das, was wir gemeinhin als eigentliche Wirbelsäule verstehen. Sie setzt sich zusammen aus:

- *7 Halswirbeln*
- *12 Brustwirbeln*
- *5 Lendenwirbel*
- *dem Kreuzbein (5 miteinander verschmolzene Kreuzbeinwirbel als knöcherner Teil des Beckens)*
- *dem Steißbein (3 bis 5 zurückgebildete Steißwirbel)*

Gemäß ihrer Funktion unterscheiden sich die Wirbelkörper in Form und Größe; je weiter unten, desto größer und kräftiger sind sie. Unsere Wirbelsäule hat, von der Seite betrachtet, die Form einer Welle, in Bewegung setzt sich jeder Schritt und jeder Atemzug als Wellenbewegung fort. Für eine gesunde Ausrichtung bildet unserer Wirbelsäule idealerweise eine ausgewogene Doppel-S-Kurve: Die konkave Wölbung der Hals- und Lendenwirbelsäule und die konvexe Wölbung auf Höhe der Brustwirbel und des Kreuzbein-Steißbein-Bereichs sorgen für ausreichende Stabilität bei Aufrichtung und für Federung bei Bewegung oder Aufprall. Die vier gegenläufigen Kurven befinden sich dabei in einem dynamischen Gleichgewicht.
Wie bei einer komplexen Brückenkonstruktion sind die einzelnen Elemente über eine Vielzahl kleinerer und längerer Bänder und Muskeln miteinander verbunden. Sie fügen unsere Wirbelkörper, Bandscheiben, Wirbelbögen und Fortsätze zusammen und stabilisieren sie.
Es sind besonders zwei lange, an der Vorderseite und Rückseite der Wirbelkörper entlang laufende Bänder, die die einzelnen Wirbel miteinander verbinden, hervorzuheben: das vordere Längsband (Ligamentum longitudinale anterius) und das hintere Längsband (Ligamentum longitudinale posterius). Diese Faszien-Strukturen sind Teil der myofaszialen Leitbahnen, wie auf Seite *(Bänder und Gurte 106-110)* beschrieben. Weil sie dafür sorgen, dass sich unsere gesamte Wirbelsäule über die Rotationen aus den Füßen heraus entlang der Zuglinien als ein Element der Aufrichtungskette ausrichten kann, profitieren wir hier ganz besonders von einer guten Viskoelastizität des Gewebes.[70] [71] [72]

DIE ENTWICKLUNG DER WELLE

Nicht immer hatte unsere Wirbelsäule diese ausgeprägte Wellenform. Im Mutterleib liegen wir nach vorne gebeugt und werden getragen. Unser eigenes Körpergewicht hat noch keinen Einfluss auf unsere Physiologie. Erst mit der Geburt und der damit verbundenen veränderten Schwerkraftwirkung beginnt der schwierige Balanceakt, unseren überproportionierten Kopf selbstständig auf der noch weichen und relativ geraden Wirbelsäule zu tragen.

Die Wellenform unserer Wirbelsäule ist die Reaktion auf den gravierenden Einfluss der Schwerkraft. Gleichzeitig kann unsere Wirbelsäule dank ihrer Wellenform besonders stabil und flexibel reagieren. Die Muskeln und Bänder, die am Schädel des Neugeborenen ansetzen, haben noch nicht die Kraft, alleine für die Stabilität des Kopfes zu sorgen. Nur unsere Beckenmuskulatur hat schon im Mutterleib ein Trainingsprogramm absolviert: Das kräftige Treten während der Schwangerschaft hat dafür gesorgt, dass genügend Kraft für das Abstoßen während des Geburtsvorgangs aufgebaut wurde. In der Zeit danach sind unsere Muskeln vor allem dafür zuständig, uns auf unseren Mittelpunkt hin auszurichten. Erst im Laufe der darauffolgenden Wochen und Monate gewinnen unsere Muskeln durch Strampeln und Schreien an Kraft. Hier ist anzumerken, dass unser Zwerchfell eine enge Verbindung zu unseren Psoas-Muskeln hat. Mit der zunehmenden Bewegungsentwicklung nehmen die Stützkraft in unseren Muskeln und die Spannkraft im gesamten Faszien-System zu.
Unsere Körperarchitektur folgt dabei einem Masterplan: Durch die starke Beugung des Körpers in unserem pränatalen Kokon, dem Mutterleib, sind die beiden Hauptkurven im Becken und Brustkorbbereich vorgesehen. Und genau an diesen Punkten unserer Wirbelsäule sind diejenigen Konstruktionen angebracht, von denen Gewichte zu den Seiten der Achse abgehen: zu unseren Beinen und unseren Armen. Sowohl im Becken als auch im Brustkorbbereich finden Richtungswechsel der Kraftlinien statt, von axial nach lateral.
Die beiden konkaven Kurven auf Höhe der Lenden- und Halswirbelsäule bilden hierbei Ausgleichskurven, die das Bild der Welle vervollständigen. Dabei zeigt sich die Wölbung im obersten Säulenabschnitt nicht ganz so ausgeprägt, da auf ihrem Mittelpunkt unser Kopf balanciert. Nur in diesem Gesamtgefüge ist unsere Achse stabil und flexibel und damit gesund. Die Wölbungen der Wirbelsäule entsprechen zwar keiner mathematischen Gleichung. Doch eine ausgewogene, lebendige Ausrichtung sorgt für die Symmetrie der Anordnung und der Winkel, so dass es an keiner Stelle zu einer Fehlbelastung kommen kann.[73] Wenn unsere Achse genügend Stabilität hat und selbständig unseren Kopf trägt, kann es endlich mit dem Sitzen, Stehen und Gehen losgehen.

Bei uns Zweibeinern wirken eine Menge Scherkräfte auf unsere Achse, die die sanften Kurven unserer Wirbelsäule schnell aus ihrem Gleichgewicht ziehen und mitunter ins Hohlkreuz oder zum Rundrücken führen können. Doch nicht die Wirbelsäule ist die Schwachstelle unseres Körpers; es sind ungünstige Bewegungsmuster, die Verspannungen und Haltungsschäden verursachen. Um beweglich zu bleiben, reicht es nicht aus, sich nur irgendwie zu bewegen. So können ständig gleiche Bewegungen eingefahrene Muster unterstützen. Was wir wirklich neben einer guten Ausrichtung und Spannkraft benötigen, ist die Vielfalt unterschiedlicher Bewegungsreize. Unterschiedliche Bewegungsimpulse erzeugen wechselnde Gewichtsverlagerungen, die unsere Bandscheiben entlasten.

SKOLIOSE

Mit dem Begriff „Skoliose" wird kein spezifisches Krankheitsbild bezeichnet. Es ist der Name einer charakteristischen seitlichen Verkrümmung der Wirbelsäule. Wenn eine Wirbelsäule gesund ausgerichtet war, ihre Krümmung später jedoch vom natürlichen Maß abweicht, so ist dies allein durch unterschiedliche Zugspannungen im Muskel-Faszien-System zu erklären. Eine Knochenkrankheit ist sie dann, wenn Knochen von ihrem Platz gezogen und von den statischen Kräften der neuen abnormen Position deformiert werden. Körperliche, emotionale oder geistige Stresszustände lösen zahlreiche muskuläre Spannungen aus. Und tatsächlich beginnen die meisten Skoliosen in der Pubertät. Das Größenwachstum trifft auf die ganze innere Verdrehtheit und zeigt sich auch auf körperlicher Ebene. Es sind auffällig mehr Mädchen als Jungen betroffen. Denn Jungen nutzen öfter die Möglichkeit, ihr inneres Spannungs-Chaos über Sport, Wettkampf und Krafteinsatz auszudrücken.[74]

Da sie eine Reaktion auf einander entgegenwirkende physikalische Kräfte ist[75], gibt es noch viele weitere Szenarien, bei denen sich Spannungsunterschiede auch auf unsere Wirbelkörper auswirken:
Um Narbengewebe herum erhöht sich die Zugkraft auf umliegende Strukturen; einseitig unterschiedliches Sehen, Hören, Kauen und Tragen sowie einseitige Bewegung bei der Arbeit (z.B. Friseure, Kellner, Zahnärzte, Bauzeichner etc.), einseitiger Krafteinsatz beim Sport mit wenig Ausweichbewegungen (Golf, Drachenbootfahren, Bogenschießen, Longboard-Fahren etc.) oder Verletzungen auf einer Körperseite mit Kompensation der anderen Seite (Schonhaltungen mit ihren dazugehörigen Kompensationen). Hinzu kommen mögliche weitere Stressoren wie emotionale Spannungen oder Überlastung, die unsere Aufrichtung beeinflussen.

Auch wenn wir nicht immer wissen, was die Ursache einer Skoliose ist – sie geht immer mit einem Beckenschiefstand einher. Dieser zeigt sich darin, dass ein Bein länger als das andere zu sein scheint, denn die Oberschenkelflexoren (Ischiocrural-Muskulatur) eines Beines sind verkürzt. Auch daran können wir mit Faszien-Rotation bewusst arbeiten und so eine Besserung bewirken – immer!

Um diese eher tonischen Muskeln unserer Oberschenkelrückseiten besonders gut zu längen und zu kräftigen, gibt es einige spezielle Bewegungssequenzen im Repertoire von Faszien-Rotation. Dazu zählt die Bewegungssequenz des Rückenbogens. Hierbei werden intensiv die Kreuz-Darmbein-Gelenke (Illiosakralgelenke, ISG) geöffnet und die Spannkraft des Beckenbodens erhöht. Mit der individuellen korrektiven Begleitung kann ich sehr gut auf die einzelnen unterschiedlichen Spannungszustände des Beckenbodens eingehen und eine gleichmäßige Ausrichtung des Beckens einüben. Skoliosen werden so auf Dauer entschärft, da der zugrundeliegende Beckenschiefstand allmählich beglichen wird und sich in Folge dessen unterschiedliche Spannungen der Rückenmuskulatur harmonisieren.

EINBLICKE IN UNSERE WIRBELSÄULE

Denken wir an unsere Wirbelsäule, haben wir wahrscheinlich sofort unseren Rücken vor Augen. Unsere Wirbelsäule ist dreidimensional und hat einen ganz beachtlichen Durchmesser – vor allem im Lendenwirbelsäulenbereich. Im hinteren Teil unserer Wirbelsäule liegen die Fortsätze, an denen viele Muskeln und Bänder ansetzen. Diese elastischen Zugelemente stabilisieren unsere gesamte Wirbelsäule und ermöglichen koordinierte Bewegungen.
Im vorderen Wirbelbereich liegen die 23 elastischen Bandscheiben, die die Wirbel untereinander flexibel verbinden und in ihrer Beweglichkeit unterstützen. Da durch sie die Bewegungsachse verläuft, fangen sie auch den größten Teil unseres Körpergewichts auf und federn die Kräfte ab, die durch unsere Achse wirken: jeglichen Aufprall. Die Bandscheiben (auch Zwischenwirbelscheiben genannt) bestehen aus einem äußeren, konzentrisch geschichteten Faserring mit einem straffen Faserknorpel und elastischem, kollagenen Bindegewebe und dem innenliegenden Gallertkern, der ein hohes Wasserbindungsvermögen besitzt. Die Bandscheiben dienen der Spannungsverlagerung bei Bewegungen der Wirbelsäule und schützen unsere einzelnen Wirbelkörper beim Beugen und Drehen wie Stoßdämpfer vor Druck.[76] [77] [78] Im Gallertkern unserer Bandscheiben finden wir Reste unserer allerersten Faserstruktur, der Chorda dorsalis, unser weiches Achsenskelett.[79]

Es gilt dennoch zu beachten, dass ein seitliches Verdrehen des Rumpfes, ein „Verwringen" der Wirbelsäule, nur solange gesund und gefahrlos für unsere Bandscheiben ist, solange wir uns nicht gebeugt oder im Hohlkreuz befindlich drehen. Ist die Wirbelsäule optimal ausgerichtet, geht es den Bandscheiben auch während seitlicher Verdrehungen gut.

Meines Erachtens nach wird im normalen Kursbetrieb im Sport oder auch bei Alltagsbewegungen nur wenig auf eine bestmöglich ausgerichtete Achse geachtet, was große Gefahren mit sich bringt. Gerade bei ruckartigen, schnellen oder sich wiederholenden Seitwärtsbewegungen, werden unsere Bandscheiben schnell in Mitleidenschaft gezogen.
Gleiches gilt für das Beugen der Knie (z. B. Kniebeugen, tiefes Stehen im TAi Chi). Finden diese Bewegungen im Hohlkreuz stehend statt, sorgt dies für eine zusätzliche Belastung der Bandscheiben der Lendenwirbelsäule. Es erfordert eine bewusste Körperwahrnehmung besonders unserer Achse, um uns gesund, geschmeidig, durchlässig und somit Bandscheiben erhaltend zu bewegen.

Lediglich unsere beiden obersten Wirbel, unser Atlas und Axis, besitzen keine Bandscheibe. Denn diese würde die Beweglichkeit unseres Kopfes einschränken. Allerdings fehlt uns damit genau an dieser Stelle ein überaus wichtiger Puffer. Und so sorgt ein nicht gut sitzender Atlas, der wiederum die Schädelbasis trägt, für viel Unruhe in allen Körpersystemen und kann Ursache von Kopfschmerzen, Verspannungen, depressiven Stimmungen über Rückenschmerzen bis hin zu Problemen des Verdauungssystems sein. Zwei Gelenkknorren (Condyli occipitales) am Hinterhauptbein sorgen für die Verbindung zum Atlas. Das Kreisen – gerade über die Drehung nach hinten – bewirkt hier einen enorm hohen Abrieb zwischen diesen Gelenkknorren der Schädelbasis und den Gelenkflächen des ersten Halswirbels. Deshalb ist vom 360-Grad-Kreisen des Kopfes, wie es bei bestimmten Sportarten leider immer noch üblich ist, unbedingt abzuraten! In Faszien-Rotation lernen wir eine gute, gesunde Alternative, den Kopf in jeglicher Richtung zu bewegen, ohne dies fragile Gelenk zu stauchen.

Beschirmt durch die knöchernen Segmente unserer Wirbelkörper, verläuft innerhalb des Wirbelkanals das Rückenmark. Es gehört zu unserem Zentralnervensystem und ist für die motorische und sensorische Versorgung zuständig. Das Rückenmark übermittelt durch seine 31 Spinalnervenpaare Botschaften zwischen unserem Gehirn und allen Teilen des Körpers. Die absteigenden Nervenbahnen (afferent) übertragen Impulse vom Gehirn an die Skelettmuskeln und verursachen willkürliche Bewegungen. Die aufsteigenden Nervenbahnen (efferent) informieren das Gehirn über Körperempfindungen.
Das Rückenmark reicht vom Hirnstamm bis zum Lendenwirbelbereich des Rückens (bei Kindern reicht es sogar noch weiter nach unten). Die Dura Mater ist eine schützende Hülle, die unser Rückenmark umgibt und aus kollagenen und elastischen Fasern besteht. In ihr und um das Rückenmark herum befindet sich der Liquor, die Zerebrospinalflüssigkeit. Diese klare Flüssigkeit wird innerhalb der Gehirnventrikel produziert und vier bis fünf Mal pro Tag erneuert. Sie weist Proteine und Glukose auf, die für die Gehirnzellenfunktion Energie liefern. Des Weiteren enthält sie Leukozyten, die vor Infektionen schützen. Die Zerebrospinalflüssigkeit fließt aus den Seitenventrikeln des Gehirns in den dritten und vierten Ventrikel hinein. Von hier aus strömt sie weiter nach oben über die Rückseite des Gehirns hinunter um das Rückenmark herum, durch den Zentralkanal des Rückenmarks und wieder hinauf über die Vorderseite des Gehirns. Auch über die Bewegung der Wirbel wird der Liquor am Rückenmark entlang geleitet. Die Zerebrospinalflüssigkeit wirkt unter anderem wie ein Stoßdämpfer und puffert starke Schläge vom Gehirn und Rückenmark ab. Ein weiterer Schutz bietet der Epiduralraum, der zwischen der Knochenhaut und der Dura Mater liegt. Diese Fett- und Bindegewebsschicht enthält Blutgefäße und ein Netzwerk aus Nervenfasern.[80]

Da kontraktile Spannungsmuster den Druck auf die Wirbelsäule und damit auch auf die innere, weiche Rückenmarksäule mit ihrem Nervengeflecht erhöhen, kann Faszien-Rotation durch die Ausdehnung des umliegenden Gewebes auch hier helfen.

AUFRICHTUNG UND AUTHENTIZITÄT

„Der aufrechte Gang beginnt im Hier und Jetzt."[81]

Das Bild eines aufrechten Menschen wirkt durch klare Angemessenheit auf seine Umgebung. Am Körper wird sichtbar, wie jemand mit sich verbunden ist, wie er oder sie in der Welt steht und wie er oder sie die eigenen Anschauungen lebt. Es umfasst alle Ebenen: die physische, emotionale und mentale. Aufrichten ist dabei ein kontinuierlicher Prozess und Verkörperung (Embodiment) der sichtbare Ausdruck dessen.

Durch die Vertikale Integration – die aufrechte Ausrichtung – bringen wir die Wirbelsäule soweit ins Lot und in die Raumausdehnung, dass wir bei gleichzeitiger guter Stabilität eine größtmögliche Entlastung der Bandscheiben erreichen. So bleibt unsere Wirbelsäule gesund, während wir uns bewegen, verdrehen und Lasten tragen können. Je mehr Raum innerhalb der Wirbelsäule entsteht, desto mehr können Rückenmark, Liquor und die Dura Mater gewissermaßen zur Aufrichtung beitragen. Die weiche und harte Säule bilden ein gutes Team: Die Wellenbewegung der Wirbelkörper unterstützt das Fließen des Liquors. Ein Cranio-Sacral-Therapeut erkennt dies an dem gleichmäßigen Rhythmus des Cranio-Sacral-Puls', der deutlich am oberen und unteren Ende der Wirbelsäule spürbar ist. Die weiche innenliegende Fließbewegung ihrerseits unterstützt die äußere Säule ganz wesentlich. Beide sorgen für unsere ganz vitale Achse.

Wie wir unseren Kopf bewegen und wie unser Schädel auf der Wirbelsäule sitzt, übt einen großen Einfluss auf das Gleichgewicht der gesamten Wirbelsäule aus. Unser Atlas weist zwei kleine Einkerbungen (Mulden) auf, in die die Gelenkfortsätze des Hinterhauptes genau passen und den Schädel tragen. Eine Kraft, die auf ein Objekt stößt, löst immer eine Gegenkraft in umgekehrter Richtung aus – wenn wir dieses Newton´sche kennen und anwenden, können wir die Krafteinwirkung auch in diesem eher fragilen Bereich optimal nutzen. So kann der Kopf getragen, statt muskulär gehalten werden, was ansonsten leicht zu Nackenverspannung führt.

An dieser Stelle möchte ich mein Lieblingsbild dieses Tragens teilen: Stellen Sie sich vor, Ihr Becken ist eine mit Wasser gefüllte Schale, ihre Wirbelsäule die sprudelnde Fontaine und Ihr Kopf der kleine goldene Ball, der auf der Fontaine treibt, spielt, schwebt, sich sanft bewegt. Weiterhin können wir uns bewusst machen, wie sich unsere Wirbelsäule bis auf Ohrenhöhe in unseren Schädel hineinbewegt. Dieser wird von ihr getragen, kann somit gar nicht herunterfallen und muss also nicht festgehalten werden.

VON VIER BEINEN AUF ZWEI BEINE

Verantwortlich für die Probleme der Wirbelsäule ist der aufrechte Gang. Zwar haben wir damit eine unglaubliche Fülle neuer Handlungsmöglichkeiten gewonnen. Doch dafür zahlen wir einen hohen Preis. Die Veränderungen und Anpassungen sind enorm: Mit der Aufrichtung unseres Körpers veränderten sich sämtliche interne Spannungsverhältnisse. Kein Spannungszustand, der auf die Gelenke einwirkt, und kein Winkel ist mehr wie zuvor. Der Richtungswechsel bedeutet einen gravierenden Unterschied für das gesamte System von Zug- und Drucklinien und führt damit zu einer Belastungsverlagerung – auch auf unsere

Organe mit ihren jeweiligen Aufhängungen. Alle neuro-muskulären Koordinierungsmuster werden von neuen Impulsen überlagert oder müssen sich adäquat organisieren. Alle Kontaktpunkte in den Gelenkflächen müssen modifiziert werden. Das Einzige, was sich für den aufrichtenden Körper nicht verändert hat, ist das permanente Einwirken der Schwerkraft. Gleiches gilt für jeden Ebenen- und Richtungswechsel, den wir kontinuierlich vornehmen. Das Faszien-System ist pausenlos mit der Reorganisation beschäftigt und sorgt dafür, dass wir uns angemessen durch alle Lebenslagen bewegen können.

DAS BECKEN

Bei der Entwicklung zum aufrechten Gang zeigt unser Becken die größte mechanische Funktionsveränderung. Unser Becken hat sich an unsere veränderte Körperausrichtung und neue Lebensweise angepasst. Die Strukturen im Bereich des Beckens und Hüftgelenkes sind vorrangig für die Sicherheit und das Gleichgewicht bei der Fortbewegung verantwortlich und müssen deshalb stabil genug sein. Gleichzeitig ist allerdings auch eine höhere Flexibilität notwendig, um unserem durch die Aufrichtung neu erworbenen Handlungsspielraum gerecht zu werden.

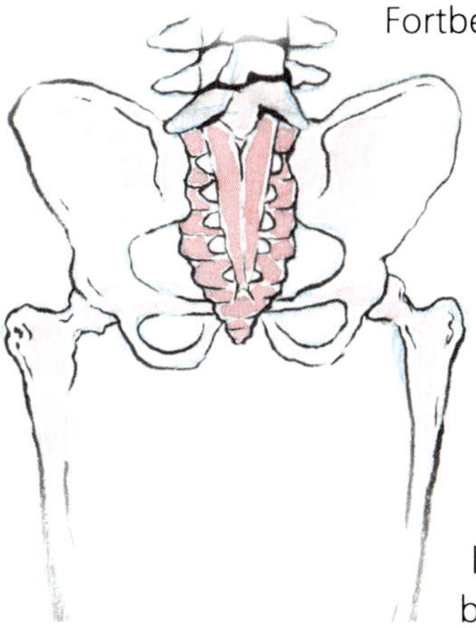

Bei Vierbeinern verläuft das Gewicht gleichmäßig durch die gesamte Länge ihrer Wirbelsäule und wird dort über den Schulter- und Beckengürtel im ausgewogenen Verhältnis auf die vier Beine verteilt. So trägt normalerweise das Becken nur die Hälfte des Körpergewichts und fungiert als einfache Aufhängung und Umlenkung der horizontal verlaufenden Wirbelsäule.[82] Zwar erfolgt die Gewichtsverteilung bei uns Zweibeinern immer noch über die gleichen Muskeln und Knochen, doch sie werden mit dem Richtungswechsel ganz anders beansprucht. Unser Becken übernimmt nun weitere Aufgaben. Es sorgt für die Beweglichkeit in der Rumpf-Bein-Beziehung. Bei uns Menschen ermöglichen größere Rotationsspielräume im Hüftgelenk geradezu abenteuerliche Verdrehungen. Wir können unsere Beine sogar weit weg von unserem Körperzentrum bringen – bei der Grätsche oder dem Spagat. Zudem lenkt unser Becken das von oben kommende Gewicht unseres Kopfes und unseres gesamten Rumpfes inklusive der Gewichte, die wir in den Händen tragen, weiter an unsere Beine. Unserem Becken kommt also die Aufgabe zu, Gewicht zu tragen und umzuleiten sowie Beweglichkeit zu schaffen.

Mit dem aufrechten Gang ist ein Gebilde entstanden, das durch Krümmungen und viele mit Bändern ausgekleidete Öffnungen genügend Leichtigkeit und Stabilität aufweist. Diese Bogenkonstruktion erfüllt somit bravurös alle Kriterien an Dynamik und Statik. Weiterhin besteht es aus Einzelteilen, die über Gelenke miteinander verbunden sind. Dabei zählt das

Kreuzbein sowohl zur Wirbelsäule als auch zum Becken. Es steht also im Mittelpunkt und ist den meisten Belastungen ausgesetzt. Besonders unsere Iliosakralgelenke wissen ein Lied davon zu singen. Diese sind die eigentlichen Verbindungsstellen und deshalb reagieren sie auch als erstes bei Fehlbelastung.

Es gilt zu beachten, dass die einzelnen Wirbelkörper unseres Kreuzbeins erst im Laufe der ersten 20 Lebensjahre zu einer Art Platte verschmelzen. Somit weist unser Kreuzbein frühestens mit Abschluss der Wachstumsphase genügend Festigkeit auf.[83]

DER DOPPELBOGEN

Auch unsere Hüftknochen bestehen noch bis zum Erwachsenenalter aus drei Einzelknochen, dem Darmbein (Os ilium), Schambein (Os pubis) und Sitzbein (Os ischii), die erst danach zu einem Komplex verschmelzen. Aus Hüftknochen und Kreuzbein entsteht schließlich der bekannte Doppelbogen unseres Beckens. Das Gewicht unseres Rumpfes wird über die Iliosakralgelenke dementsprechend auf die beiden Bögen verteilt. Beim Sitzen wird unser Gewicht von dort zu unseren Sitzbeinhöckern übertragen, beim Stehen in unsere Hüftgelenke. Die eintretende Kraft trifft immer vertikal auf die entsprechende Struktur, da sowohl die Sitzbeinhöcker im Sitzbogen (ischio-ilio-sacral) als auch die Hüftgelenke im Standbogen (femur-ilio-sacral) vertikal ausgerichtet sind.

Im weiteren Verlauf kann das Gewicht gradlinig nach unten weitergegeben werden. Das bedeutet, dass Sitz- und Standbogen bei der Tragkraft die Schlüsselfunktion zukommt – mit dem Kreuzbein als Schnittmenge.

Vervollständigt wird der Beckenring nach vorne durch das Schambein, das mit seiner knorpeligen Fuge (Symphyse) aus zwei Teilen besteht. Das Schambein verstärkt die Tragkraft des Kreuzbeines. Um dies zu gewährleisten, ist es von Bedeutung, wie unsere Oberschenkelknochen im Hüftgelenk stehen.[84]

Anders ausgedrückt: Wenn wir beim Stehen oder Gehen unsere Großzehen nach außen statt nach vorne zeigen lassen, wird Dank des langen Beinhebels die Schambeinfuge geöffnet und verliert an Stabilität. Um in dieser Ausgangsposition für eine ausreichende Stabilität des Beckens zu sorgen, brauchen wir zusätzliche Muskelaktivität, um die gesamte Struktur zusammenzuhalten. Und so sind wir wieder beim Festhalten: Wir rauben unserer Bewegungsökonomie jegliche Effizienz, wenn wir uns nicht gut ausrichten – und zwar von den Füßen aufwärts. Wir sorgen für eine natürliche Stabilität alleine schon dadurch, dass wir unsere Füße parallel, die Zehen nach vorne zeigend aufstellen.

DER PSOAS-MUSKEL

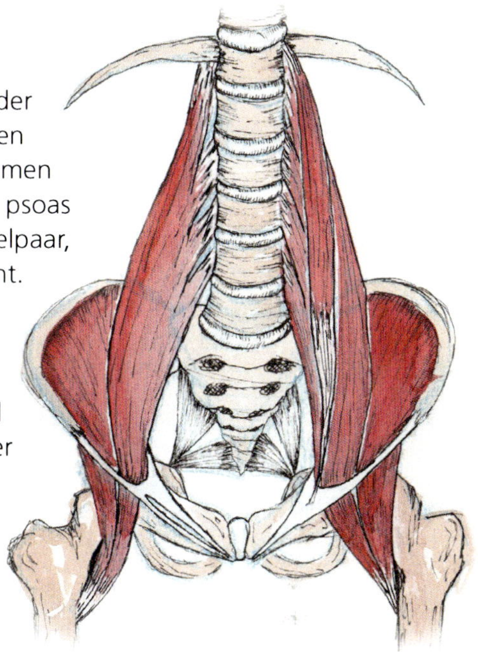

Sollte ich einen Lieblingsmuskel wählen, wäre es der Psoas. Denn dessen Bindegewebsverästelungen sind von ganz besonderer Bedeutung und bestimmen unsere Aufrichtung wesentlich. Der Psoas (musculus psoas major, unser Hüftbeuger) ist im Grunde ein Muskelpaar, das aus einem rechten und linken Schenkel besteht. Auch wenn ich von „dem Muskel" spreche, meine ich natürlich beide Seiten. Unser großer Hüftbeuger setzt zusammen mit dem Darmbeinmuskel (musculus iliacus) jeweils am kleinen Rollhügel des rechten und linken Oberschenkelknochens (Trochanter minor, der innere Vorsprung des Femur) an und verläuft in einer gemeinsamen Faszien-Hülle unter dem Leistenband hindurch. Da beide Muskeln (Iliacus und Psoas) miteinander als funktionelle Einheit arbeiten, wird häufig vom Iliopsoas Muskel gesprochen (Lenden-Darmbeinmuskel).

Der Darmbeinmuskel verläuft rechts und links weiter zum vorderen unteren Darmbeinstachel und kleidet die Darmbeingrube aus. Er verbindet die Beckenschaufeln mit den Oberschenkeln. Der Psoas zieht rechts und links schräg durch unser Becken, um innen an den einzelnen Wirbelkörpern der Lendenwirbelsäule zu verwachsen, bis auf Höhe des zwölften Brustwirbels. Er läuft oben in die Psoasarkade (Ligamentum arcuatum mediale) und zieht damit durch unser Zwerchfell. Er liegt auf der inneren Seite der Wirbelsäule und verbindet den Rumpf zu beiden Seiten mit den Beinen. Er erstreckt sich direkt hinter der Bauchhöhle, in welcher ein Großteil des Darms liegt.

Wenn wir von den Fersen her rotieren, dann ist es unser Psoaspaar, das in der gesamten faszialen Verkettung am eindrucksvollsten dafür sorgt, dass unser Becken entweder gekippt oder gestreckt wird. Ihre Myofaszien sind mit der Innenseite des Beckens und mit der Faszie des Zwerchfells verwoben.[85]
Aus seitlicher Sicht auf den Psoas, können wir erkennen, dass er in seinem Verlauf zweimal leicht seine Richtung verändert, so dass er fast wie eine Art Flaschenzug fungiert. Dies bewirkt, dass schon mit geringem Kraftaufwand große Bewegungen entstehen oder schwere Lasten getragen werden können.[86]

Zu langes und vieles Sitzen, berufsbedingte Haltemuster, langes Nachvornebeugen, Gehen auf hohen Absätzen etc. sorgen dafür, dass der Psoas sich verkürzt und verhärtet und wir im Hohlkreuz stehen. Daraus resultieren die meisten Rückenprobleme und Haltungsschäden.
Die beiden Psoasschenkel sind nicht immer symmetrisch, sondern können einseitig verkürzt sein; dann lösen sie einen Beckenschiefstand und Verdrehungen im Lendenwirbelsäulenbereich

aus. Spätfolgen können sogenannte Bandscheibenvorfälle, ein frühzeitiger Verschleiß vor allem der Hüft- und Kniegelenke und unstrukturierte bzw. eingeschränkte Bewegungsabläufe sein.

Bevor ich mich vor ein paar Jahren zunehmend mit den Faszien beschäftigt habe, lag mein Augenmerk vor allen Dingen auf dem Psoas-Muskel. Durch ihn ließ sich das Kippen und Strecken des Beckens erklären. Doch erst durch seine Einbindung in das allumfassende Faszien-Netz und seine mittige und zentrale Lage innerhalb des Netzes wird seine Bedeutung klar. Seine beiden Schenkel sind ungefähr so dick wie unsere Unterarme und üben einen entsprechend großen Einfluss auf alle unsere Bewegungen aus. Unser Psoas hat eine enorme Kraft. Er verfügt jedoch auch über eine immense Spannkraft und ist der Fokus aller Dreh- und Hebelbewegungen. Seine Wirkung ist im Verhältnis zur gesamten Körperkraft außerordentlich groß – sowohl beim Verdrehen und Verziehen von Strukturen als auch beim neuen Ausrichten. Da unser Hüftbeuger eine so zentrale Rolle spielt, ist es von Bedeutung, wie fest oder geschmeidig sein Gewebe ist. Allerdings weist er zumeist eine sehnenartige Festigkeit auf.

Unser Interesse sollte es sein, eine möglichst elastische Beschaffenheit innerhalb der hohen Festigkeit zu erlangen. Da der Psoas-Muskel aufgrund seiner Leistungskraft dazu neigt, sich zu verhärten und zu verkürzen, ist ein Ziel von Faszien-Rotation, einen vitalen Tonus zu fördern und ihn zu längen. Allerdings gibt es auch Fälle, in denen der Psoas schlaff erscheint. Dieser Zustand ist ebenfalls nicht wünschenswert. Durch ein Abwechseln von Innen- und Außenrotation der Ferse wird ein ausgewogener Tonus des Psoas erreicht. Das hat auch den nicht zu unterschätzenden Effekt, dass unsere Psoas-Muskeln eine höhere Geschmeidigkeit erhalten, was wiederum für die Durchlässigkeit der Nerven unseres Lendennervengeflechts von entscheidender Bedeutung ist. Diese prallen bei ihrem Austritt aus den Wirbelkörpern auf Höhe der Lendenwirbelsäule als erstes auf die Psoas-Stränge. Je nach dem Grad des Tonus haben die Nerven entweder leichtes Spiel, entsprechende Muskeln, Organe und Bereiche zu innervieren und zu versorgen oder sie treffen auf eine Blockade.

Durch Faszien-Rotation haben wir die Möglichkeit, die Durchlässigkeit aktiv mitzugestalten. Das hilft auch bei allerhand Beschwerden des Uro-Genital-Traktes, die sich auf fasziale Spannungsmuster, vor allem zu harter Psoas-Muskeln zurückführen lassen.

Eine weitere effektive Bewegungssequenz, das „Psoas-Längen", besteht in sanftem Ab- und Aufrollen vom Sitz in die Rückenlage und wieder nach oben in den Sitz *(siehe Bewegungssequenzen Psoas-Längen S. 171)*. Da wir beim Ab- und Aufrollen keine zusätzliche muskuläre Kraft einsetzen, sondern lediglich mit der Hebelwirkung die Raumebene wechseln, wird der Psoas gelängt, geschmeidig und flexibel.

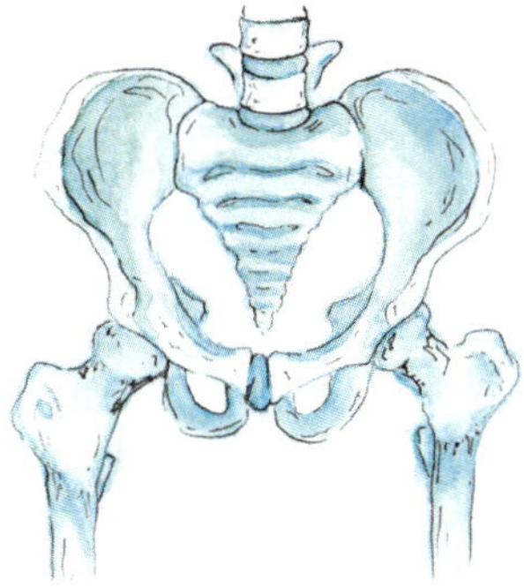

VON BRÜCKEN UND KÖRPERN

Um unsere Statik besser zu verstehen, können wir uns eine Brückenkonstruktion vorstellen, wie es schon Mabel E. Todd in ihrem 1937 erschienenen Buch „The thinking body" [87] tat: Eine alte Bogenbrücke, Stein auf Stein gesetzt, mit zwei Pfeilern, die aus einzelnen Elementen besteht, die senkrecht übereinander lagern. So gewinnt sie an Höhe. Damit die Bögen der Pfeiler sich horizontal annähern, wird der jeweils nächste Stein leicht seitlich verschoben. Schließlich fehlt nur noch der Schlussstein, auch Keilstein genannt, der den Bogen mittig abschließt. Erst wenn dieser Mittelstein gut sitzt, ist die Brücke stabil. In diesem Schlussstein treffen sich jetzt die von unten durch die anderen Steine laufende Zuglast und die von oben kommende Drucklast. Sitzen die Steine der Pfeiler nicht optimal übereinander, werden ihre Verbindungen auch nur an einer einzigen Stelle porös oder treten Risse auf, dann überträgt sich das entstehende Ungleichgewicht vor allem auf den Schlussstein.

Genauso sieht es in unserem Körper aus: Unsere Beine sind die Pfeiler, bestehend aus den je 26 Knochen eines Fußes, unserem Schien- und Wadenbein als Unterschenkel und dem Oberschenkel. Wir stellen uns auf jeder Seite also drei übereinander liegende Bausteine vor, deren Zugkraft vertikal verläuft. Jetzt braucht es den Richtungswechsel, so dass die Seiten zueinanderfinden und eine Horizontale bilden. Dieser Wechsel findet im Hüftgelenk statt durch die Form unseres Oberschenkelknochens (Femur), der einen schräg seitlich nach oben laufenden Kopf aufweist. Und weiter geht es über den Becken-Standbogen zum Kreuzbein, das den Schlussstein bildet. Eine wunderbare Konstruktion – solange alle Strukturen gut zueinander stehen.

Da auch im Fußgelenk ein Richtungswechsel erfolgt, spielt das Sprunggelenk als Zylindergelenk mit einem oberen und unteren Sprunggelenk eine wichtige Rolle.

Unsere gesamte Beckenstruktur ist versehen, verbunden und ausgekleidet mit einem Netz aus sich überkreuzenden und in alle Richtungen miteinander wirkenden Bändern. So erscheint unser gesamtes Becken als eine Funktionseinheit. Ganze Muskelsysteme wirken hier zusammen, um die Gewichte des Oberkörpers über lange Hebel zur Erde weiterleiten zu können. Je entspannter unsere Beckenarchitektur ist, desto effektiver können unterschiedliche Impulse von allen Seiten kommend über die elastischen Kräfte der Faszien gleichmäßig weitergeleitet werden.[88] So ist unser Becken in der Gesamtheit aller Spann-

kräfte unseres Körpers ein zentrales Element.
Wir haben eben gesehen, dass das gesamte von oben einwirkende Gewicht bei der Brücke über den Schlussstein und in unserem Körper über das Kreuzbein weitergegeben wird. Damit dies optimal geschehen und jede kleinste Gewichtsverlagerung und Unregelmäßigkeit gleichmäßig durch die Iliosakralgelenke auf beide Beine übertragen werden kann, muss unser Kreuzbein die Fähigkeit haben, bei einem hohen Maß an Stabilität auf subtile Weise beweglich zu sein. Der Brückenbogen-Schlussstein wird normalerweise nicht einzementiert, damit dieser auf Ungleichgewichte reagieren und diese an die beiden Pfeiler abgeben kann. Bedenken wir die Summe aller Gewichte, die auf unser Kreuzbein einwirken – das Gewicht des gesamten Rumpfes, inklusive des Kopfes und unserer Arme, die sich zudem noch außerhalb unserer Achse befinden und durch deren Beweglichkeit von allerlei Seiten weitere Gewichte hinzukommen können – dann gleicht diese Kraftübertragung einer wahren Meisterleistung.

In diesem Zusammenhang ist das feste Baucheinziehen, wie es nicht nur im Sport praktiziert wird, von Nachteil. Denn wenn wir unseren Bauch fest einziehen, verliert unser Kreuzbein-Bereich jegliche Justierbarkeit. Jeder Versuch, die von oben wirkenden Druckkräfte aufzufangen und weiterzuleiten, wird dann zur Belastungsprobe.

LEBEN IM SPANNUNGSFELD VON GRAVITATION UND AUFTRIEB

Mit dem Beginn unseres Lebens setzt die direkte Beziehung mit der Schwerkraft ein. Dies ist eine lebenslange Herausforderung für unseren gesamten Organismus. Nichts kann sich der Anziehungskraft der Erde verweigern, kein Teil des Körpers. Keine physikalische Kraft hat eine größere Bedeutung für unsere körperliche Kondition und für unser aktives Sein.
Schwerkraft und Schwerelosigkeit haben spezifische Wirkung auf uns, die wir meistens als selbstverständlich erleben. Doch die Informationen, die sie in unserem Bewusstsein hinterlassen, sind voneinander abhängig - körperlich und emotional.

Besonders im Alter lassen die Elastizität und Belastbarkeit der Knochen nach. Haltungsgewohnheiten, abweichender Druck und außergewöhnliche Abnutzung können die Form der Gelenkflächen einzelner Knochen gestalten und die Lage der Knochen zueinander verändern. Ständige und langanhaltende Belastung schwächt das Wachstum und lässt sogar schon ausgewachsene Knochen verkümmern. Auch der längere eingeschränkte Gebrauch bestimmter Muskeln oder unter zu großer Spannung stehende Muskeln beeinträchtigen die Ausgewogenheit unseres Knochengerüsts.

Hier wirkt Faszien-Rotation. Verbesserte Gleichgewichtsverteilung in der Körperausrichtung und ein veränderter Muskeltonus haben einen direkten Einfluss auch auf unsere Knochen: auf ihr Wachstum, ihre Erneuerung und ihre Erhaltung.

EMOTIONALE DYSBALANCEN
Balance zwischen Schwerkraft und Auftrieb

Manche Emotionen laden uns in die Weite, in die Öffnung und Ausdehnung ein, andere lassen uns stocksteif werden, den Atem anhalten oder in uns zurückziehen. Unsere Zellen expandieren oder kontrahieren dann vermehrt. Unser Tonus erhöht sich und lässt den Druck in den Gefäßen steigen. Unnötige Anspannung gegen die natürliche Anziehungskraft der Erde wird durch unsere persönliche Reaktion herbeigeführt. Dieses Festhalten ist eine erzwungene Kraft. Der Motor für dieses Festhalten ist meiner Meinung nach oft eine emotionale Dysbalance.

Emotionale Dysbalancen kreieren Stress und Enge in unserem Körper.
Realangst z.B. hat eine Funktion: Sie warnt uns vor Gefahren. Verspüren wir diese Angst allerdings in einer nicht wirklich gefährlichen Situation, dann ist sie nicht in Relation. Manche dieser Emotionen haben einen individuell biografischen, einen transgenerationalen oder/und kollektiv begründeten Hintergrund.

Urangst oder Urvertrauen – diese Pole und ihr gesamtes Spektrum – bilden die Basis, von der aus wir in die Welt gehen. Sowohl auf emotionaler als auch körperlicher Ebene zeigt sich, wie wir der Welt begegnen: Wie defensiv oder offensiv und wie weit wir uns schützen oder öffnen, um uns einzulassen, hadern und kämpfen oder uns dem Leben hingeben. Dabei bilden sich Muster. Halten wir uns fest oder lassen wir uns tragen? Diese Grundstimmungen lassen sich an unserem Körper ablesen: Zusammenziehen versus Ausdehnung, Kontrolle versus Unterstützung, Festigkeit versus Stabilität, Haltung versus Ausrichtung.

In der Balance zwischen Schwerkraft und Auftrieb wird unser Körper zum Resonanzkörper. Wir brauchen die Erde mit all ihren Gesetzmäßigkeiten zum Leben. Auch für den Prozess unserer Identitätsbildung ist der Faktor Schwerkraft grundlegend. Wir können nicht leben, ohne uns in Bezug zu ihm zu setzen. Erst wenn wir uns in Beziehung zu dem setzen, was ist, bildet es sich als Wirklichkeit in uns ab. Dies ist eines der Prinzipien der Wahrnehmungs- und Gestaltpsychologie. „Ich reibe mich an der Welt, also bin ich", könnte ein neues Axiom heißen. Je mehr wir uns geerdet fühlen, desto mehr Sicherheit, Klarheit, Stabilität, Unterstützung, Orientierung und Kraft spüren wir in uns und strahlen sie aus. Sichtbar in unserer vitalen Ausrichtung – ein Zeichen unserer durchlässigen viskoelastischen Faszien.
Wie gut wir ausgerichtet sind, hängt sehr von unserer körperlichen Durchlässigkeit ab. Je gesünder die Mischung aus Stabilität und Flexibilität ist, desto besser können wir eine mühelose Leichtigkeit in unseren Bewegungen spüren.

Es gibt wunderbare multisensorielle Interventions-Möglichkeiten, die den Körper mit allen Facetten miteinbeziehen und nur deshalb so tief, schnell und nachhaltig wirken. Auch Faszien-Rotation betrachte ich als ein solches Instrument. Interventionen neuro-muskulärer Art greifen tief und schaffen ein verändertes Körpergefühl. Erst dies ermöglicht, Festgehaltenem oder Ungelöstem in uns Raum zu geben; es erlaubt uns, unnötig gehaltene Zugspannung zu lösen und gibt deren verborgenen Inhalten eine neue Richtung. Das sanfte Lösen alter Muster bei gleichzeitig neuer Eigen-Stabilisierung wird als heilsame Bewegung empfunden.

Zudem wirkt Faszien-Rotation auch auf der „polyvagalen Ebene" und ermöglicht dem Vagusnerv, sich zu entspannen. Das Wissen über die Polyvagal-Theorie nach Steven Porges fließt in meine Arbeit immer mit ein und zeigt sich in bemerkenswerter Weise in dem veränderten und nachhaltig wirkenden Körperempfinden durch die Herangehensweise von Faszien-Rotation!

DIE KRAFT DER TRAGENDEN UNTERSTÜTZUNG

Unsere physische Unterstützung funktioniert wie eine Art mechanische Feder. Und diese funktioniert gut geölt besser – dafür sorgt Bewegung. So kann sie sich entspannen und uns in den Raum hineinkatapultieren. Wenn sich ein Körperteil bewegt, antwortet jedes Mal unser ganzer Leib. Wir bewegen uns immer von einer unterstützenden Basis aus. „Unterstützen" – etwas unter uns stützt und trägt uns. Wenn wir stehen, sind es die Füße, wenn wir sitzen, ist es der Beckenboden, wenn wir im Handstand durch die Welt gehen, dann sind es die Hände. Wir tragen diese unterstützende Basis, von der aus wir uns bewegen und ausdehnen, also in uns. Deshalb brauchen wir keine Haltung und keinen äußeren Halt.

Bewegungen fangen immer mit einer meist subtilen Vorwärtsbewegung an. Ein leichtes Kippen nach vorne bringt uns in den Raum. Wir können z.B. nicht rückwärts gekippt aufstehen. Dieser erste Impuls nach vorne beginnt mit einem Weiten des unterstützenden Gewebes. Dies öffnet das darüber liegende Gelenk und Länge entsteht – wie minimal auch immer. Diese Länge und Öffnung setzt sich nacheinander von unten nach oben, von Gelenk zu Gelenk bis in unseren Schädel hinein fort.[89]

Deshalb werden auch die Bewegungssequenzen in Faszien-Rotation der Reihenfolge der Gelenke nach von unten nach oben aufgebaut. Ideal ist es natürlich, wenn unsere Gelenke möglichst durchlässig sind und unser gesamter Körper entsprechend fließend auf den Impuls reagieren kann. Wir können diesen Bewegungsfluss immer dann bei uns beobachten, wenn wir uns mühelos und dennoch kraftvoll bewegen und uns dabei vital fühlen. In diesem Sinne ist Kraft fließend und öffnend; sie wirkt nicht haltend und zum Körper hinziehend, sondern strömt durch uns hindurch in den Raum hinein. Ganz nach der Grundidee: Das Wesen von Energie ist ihr freies Fließen.

Kompressionskraft staucht unsere Gelenke und erzeugt Enge im gesamten Körper. Spannkraft dagegen dehnt sich gummibandartig nach außen aus. Leider sind wir nicht immer so durchlässig wie es wünschenswert wäre. Gedanken, Gefühle und Worte spielen neben den rein physischen Faktoren eine erhebliche Rolle. Zum großen Teil kreieren wir diese Enge in uns auch selbst.

Die uns unterstützende Kraft setzt sich von unten kommend durch die Wirbelsäule fließend fort. Dieser Spannungsbogen findet mit der Bewegung des Kopfes ihren Höhepunkt. Wenn unsere Durchlässigkeit durch zu viel Spannung unterbrochen wird, kann die Bewegung nicht den ganzen Körper erreichen. In unserem Körper festgehaltene oder fixierte Spannung wird an unseren Endpunkten sichtbar. Gleiches gilt für unsere Spannkraft. Soll sie entlang der Kraftlinien verlaufen und radial symmetrisch unten mit oben, rechts mit links und auch unsere Körperdiagonalen miteinander verbinden, so geht dies nur, wenn unsere Körpermitte elastisch, gut ausgerichtet und entspannt ist. Ziehen wir unseren Bauch kräftig ein, ist es so, als würden wir in unsere Mitte einen Knoten binden. Damit wird zum einen der Spannkraftzug an dieser Stelle unterbrochen, zum anderen geht von diesem Punkt nun eine erhöhte Zugspannung aus und es bilden sich erneut Stresslinien, die zu einer vermehrten Faseransammlung führen, wie wir ja schon zuvor gesehen haben.

Auch wenn unser Körper annähernd eine Symmetrie aufweist, so sind doch die Gelenke und das Bindegewebegefüge ungleich. Wir haben zwar zwei obere und zwei untere Glieder mit je fünf Fingern, fünf Zehen, zwei Ellenbogen, Knien, Schultern und Hüften. Dennoch unterscheiden sich die unteren und die oberen Gliedmaßen in ihrer jeweiligen Funktion und geben daher auch unverwechselbare Strukturen vor. Während die Zehen, Füße und Beine uns eher stabilisieren, brauchen wir eine größere Flexibilität in den Armen, Händen und Fingern.
Unterarme als auch Unterschenkel bestehen jeweils aus zwei Knochen: Elle und Speiche, Schienbein und Wadenbein. Doch selbst die jeweilige Zwischenknochenmembran (Membrana interossea) unterscheidet sich in ihrer Dichte und ihrer interzellulären Matrix. Diese, die jeweiligen Knochen verbindende Membran, stabilisiert und dämpft Kräfte, die von außen auf sie einwirken.
Am knienahen Teil der Membran entspringt der größte Teil des hinteren Schienbeinmuskels (M. tibialis posterior), der eine Verbindung zur Plantarfaszie unter dem Fuß herbeiführt. [90 91]
Größere Belastung auf den Vorderfuß – z.B. durch das Tragen von Schuhen mit hohen Absätzen oder durch Laufsport – lässt die Muskeln und Faszien unter unserem Fuß und an unserer Beinrückseite kürzer werden. Die vermehrte Spannung, die auf die Zwischenknochenmembran und damit auch auf die Knochen trifft, wirkt sich in Form einer Überstreckung mit durchgedrückten Knien auf unsere gesamte Körperrückseite aus. Auch unsere Achillessehne ist davon betroffen. Dehnen unserer Beinrückseite mit ihren eher tonischen Muskeln zeigt – wie wir inzwischen wissen – an diesen Stellen nur eine kurzfristige Wirkung. Eine überstreckte Haltung wiederum führt unter anderem zu Rückenschmerzen.

Deshalb benötigen wir eine Option, die zu Verkürzung neigende dorsale (zum Rücken gehörende) Beinmuskulatur auf Dauer zu entspannen ohne sie in ihrer, für unsere Aufrichtung notwendigen, Kraft zu schwächen. Auch unsere Achillessehnen profitieren davon und bleiben so geschmeidig und gesund. Genau dies gelingt uns in Faszien-Rotation durch das kraftvolle Längen. Hilfreiche Bewegungssequenzen sind dabei unter anderem: Die Gottesanbeterin, Der Rückenbogen, Die Waage.

PENDELBEWEGUNGEN

Um unsere Achse herum pendeln die Bewegungen immer leicht von Seite zu Seite – auch auf Organebene. Je mehr unsere Achse die Bewegungen aufnimmt und je freier sie mitschwingt, desto fließender können wir uns bewegen. Auch unsere Eingeweide schwingen in ihren jeweiligen Faszien-Hüllen mit, organisieren und stabilisieren unsere Bewegungen harmonisch. Auf der anderen Seite können Stauungen oder Probleme auf Organebene unsere Aufrichtung beeinträchtigen.[92]
Im Fuß trifft unser vertikales Aufgerichtet-Sein auf eine horizontale Fläche – er überträgt nicht nur unser Gewicht, sondern modifiziert auch die Richtung, in die das Gewicht fällt, während die Schwerkraft unablässig durch uns hindurch wirkt. Dennoch gibt es in uns nahezu keine statische Vertikale – auch nicht beim Gehen. In jeder Körperbewegung finden sich Diagonale. Dieser Balance zwischen den einzelnen Über-Kreuz-Bewegungen haben wir unserer funktionalen Vertikalität innerhalb von Bewegung zu verdanken.

Die Beschäftigung mit der Mechanik des Gehens hat schon sehr früh Einzug in die Literatur gefunden. Unter dem Titel „The physiology of walking" erschien 1892 von Oliver Wendell Holmes unter wissenschaftlichen Gesichtspunkten eine Abhandlung zu diesem Thema.

„The more we study the body and the mind, we find both to be governed, not by, but according to laws, such as we observe in the larger universe. You think you know all about walking? Well, how do you suppose your lower limbs are held to your body? They are sucked up by two cupping vessels and held there as long as you live, and longer. At any rate, you think you move them backward and forward at such a rate as your will determines, don't you? On the contrary they swing just as other pendulums swing, at a fixed rate, determined by their length. You can alter this by muscular power, as you can take hold of the pendulum of a clock and make it move faster or slower; but your ordinary gait is timed by the same mechanism as the solar system." [93]

BÄNDER UND BAHNEN

Neben den bekannten Aussagen über das alles miteinander verbindende Gewebe gibt es neuere Ansätze, die spezifische, atypische Faszien-Züge beschreiben und sich mit meinen Erfahrungen mit Faszien-Rotation decken. Louis Schultz und Rosemary Feitis skizzieren sieben Bänder oder auch Gurte, die horizontal durch unseren Körper verlaufen und somit unsere Körpervorderseite mit der Rückseite ringartig verbinden. Dagegen erstrecken sich die von Thomas W. Myers beschriebenen neun myofaszialen Leitbahnen eher entlang unserer Körperachse und unterstützen ein Unten und Oben, Vorne und Hinten vertikal. Zudem integrieren sie unsere Arme mit unserer Achse.

BÄNDER – GURTE

Wir wundern uns vielleicht, weshalb das eine oder andere vermeintliche Fettpolster auch nach Diäten und Sport nicht verschwindet. Oft sind es unter der Oberfläche liegende, starke, bandähnliche Strukturen, Ansammlungen von Bindegewebe, die durch anormale Rotationsmuster in der Bewegung entstanden sind. In Querschnitten durch menschliche Körper können wir erkennen, dass Faszien fast ausschließlich diagonal kreuz und quer verlaufen – entsprechend den Körperbewegungen. Dort, wo sich innerhalb dieser Querverläufe besonders konzentriert Fett oder knorpelig-wattiertes Gewebe ansammelt, spricht dies für einen über lange Zeit nicht gut ausgerichteten Körper. Viele dieser polsterartigen, schräg verlaufenden Falten sind an der Körperoberfläche sichtbar.

Auch fällt es auf, dass die Körperoberfläche an einigen Stellen Vertiefungen und Eindrücke aufweist, an anderen Stellen polsterartige Erhöhungen, mehr oder weniger kleine Wölbungen. Manche zeichnen sich nur subtil ab. Erhöhungen deuten auf verdicktes Gewebe zwischen Haut und Knochen hin, manchmal mit Fettablagerungen. Vertiefungen wirken zum Teil wie Schatten und lassen erkennen, dass die Kollagenfasern an dieser Körperstelle eher verhärtet am Knochen kleben. So zeigt unser körperliches Erscheinungsbild an, welche Strukturen darunter liegen – und das bereits direkt nach der Geburt.[94]

Nach R. Louis Schultz und Rosemary Feitis, zwei amerikanischen Rolfern, geben genau sieben horizontal verlaufende Bindegewebsbänder Informationen über die darunterliegende Gewebearchitektur. Die horizontalen Bindegewebslinien verbinden unsere Körpervorderseite und Rückseite oftmals zu strukturellen Funktionseinheiten. Sie sind definiert, relativ unflexibel und gut erkennbar. Selbst bei gut ausgerichteten Menschen finden wir diese horizontal verlaufenden Linien, allerdings ausgewogen angeordnet, wenn innere und äußere Strukturen sich in Balance befinden. Ist ihre Zugspannung allerdings erhöht, dann agieren sie wie Haltegurte, die die darunterliegenden Strukturen in ihrer Bewegung und Funktion erheblich einschränken. Wenn ich hier von „Gurten" spreche, so sollten wir uns keine Bandgefüge im herkömmlichen Sinn vorstellen. Es können vielmehr verdichtete Ansammlungen von Bindegewebefasern sein, die mit den darunterliegenden Elementen verwoben sind oder sich an manchen Stellen auch durch sie hindurchziehen.

Es ist bemerkenswert, dass sich alle horizontalen Bänder jeweils an den Übergängen der einzelnen Wirbelsäulenabschnitte organisieren, was großen Einfluss auf unseren Bewegungsspielraum und unsere Organe hat.

In ihrem Buch „The Endless Web", auf das ich auch an vielen Stellen meines Buches immer wieder Bezug genommen habe, veranschaulichen Schultz und Feitis diese sieben horizontalen Bänder oder auch Gurte sehr eindrücklich.

Der Augengurt (The Eye Strap)
Der Kinngurt (The Chin Strap)
Der Kragengurt (The Collar Strap)
Der Brustgurt (The Chest Strap)
Der Nabelgurt (The Umbilical Strap)
Der Leistengurt (The Inguinal Strap)
Der Schambeingurt (The Groin Strap) [95]

Diese Gurte eingehend zu beschreiben, würde den Rahmen dieses Buchs sprengen. Dennoch möchte ich ein paar Besonderheiten dieser horizontal angelegten bandähnlichen Gurte hervorheben.
Beginnen wir mit den beiden Gurten, die die Bewegungen unseres Kopfes einschränken können, da sie ihn ringförmig umschließen.

Als oberster Gurt zieht sich das AUGENBAND oder auch der Augengurt von der Nasenwurzel, über die Ringmuskeln der Augenhöhlen, weiter oberhalb der Ohren und vereint sich am Hinterhauptskamm, auf Höhe der Verbindungen der Schädelknochen, der Lambda-Naht zwischen dem Scheitelbein (os parietale) und dem Hinterhauptsbein (os occipitale). Wenn unser Augengurt unter Spannung steht, kann sich der Druck auf den gesamten Bereich unserer Augenhöhlen erhöhen, was mitunter zu Sehproblemen führt. Auch kann die Beweglichkeit der einzelnen Schädelknochen insgesamt eingeschränkt werden – mit Folgen für unsere Mimik. Ein weiterer Faktor, der nicht zu unterschätzen ist: Eine erhöhte Spannung auf das Keilbein (os sphenoidale) kann sich bis in die Beweglichkeit unseres Beckens auswirken.

DER KINNGURT verläuft unterhalb unseres Kinns an der Basis des Unterkiefers, umschließt das Zungenbein (os hyoideum), führt unterhalb der Ohren und verbindet sich an der Stelle, wo unser Hinterhaupt auf den Atlas trifft (occipital-cervicaler Übergang). Bei Fehlspannungen des Kinngurts kommt es zu Beeinträchtigungen unserer Kieferbeweglichkeit, der Gleitbewegungen unseres Kopfes und Störungen der Stimm- und Schluckabläufe (was besonders Sänger beeinträchtigt).

DER KRAGENGURT umfasst beide Schlüsselbeine, inklusive der Schlüsselbeinmuskeln und der ersten und zweiten Rippen vorne, zieht sich über die Spitze des Acromions und verbindet sich über den äußeren und inneren Rand unserer Schulterblätter im Rücken auf Höhe der oberen Brustwirbelsäule (cervico-dorsaler Übergang). Ist der Kragengurt zu fest, wird die Ausdehnung unseres Brustkorbes mit Folgen für die Atmung gehemmt und die seitliche Armbewegung eingeschränkt.

DER BRUSTGURT liegt auf dem Brustbein auf Höhe des Kontaktpunktes des geraden Bauchmuskels (musculus rectus abdominis) und des großen Brustmuskels (musculus pectoralis major). Auf dem Weg um den Brustkorb herum zum Rücken werden entsprechend darunterliegende Rippen und Zwischenrippenmuskeln vorne und hinten sowie die untere Spitze des Schulterblattes eingeschlossen. Zwischen dem fünften und sechsten bzw. sechsten und siebten Brustwirbel wird eine leichte Änderung im Bewegungsmuster sichtbar. Bis hierher erstreckt sich der Brustgurt. Dieser Punkt („dorsales Scharnier") wirkt wie eine funktionale Unterteilung der Brustwirbelsäule, da hier die kräftigen Rückenmuskeln ansetzen (musculus latissimus dorsi, musculus trapezius). Weil der Brustgurt die Lage und Anordnung so starker, in unterschiedlichen Richtungen arbeitender Muskeln kreuzt und deren Kontaktpunkte berührt, ist einerseits die Krafteinwirkung auf dieses Band beachtlich, andererseits geht eine erhöhte Zugspannung hier mit ernsten Konsequenzen für die Bewegung des Rumpfs und der Arme einher.

DER NABELGURT ist auf der Rückseite mit dem Übergang zwischen Brust- und Lendenwirbelsäule (lumbo-dorsaler Übergang) und auf der Vorderseite mit dem Nabel verbunden. Er kann jedoch auch etwas unter oder über dem Nabel am unteren Ende des Schwertfortsatzes des Brustbeines liegen, was wie eine Hühnerbrust erscheint. Seitwärts verläuft der Nabelgurt meist etwas unterhalb der Rippenbögen, wobei er die freien Enden der Rippen nach innen zieht. Ein zu enger Nabelgurt verursacht Enge im Zwerchfell. Das Resultat ist eine gehemmte oder sehr schwerfällige Atmung, bei der das Zwerchfell überstrapaziert wird.

DER SOGENANNTE LEISTENGURT umschließt die beiden Darmbeinstachel (Spina iliaca anterior superior), um auf der Körpervorderseite in einem leichten Bogen bis hin zum unteren Ende der geraden Bauchmuskeln (musculus rectus abdominis) zu verschmelzen. Zur Rückseite läuft der Leistengurt mit einer gewissen Spannung unterhalb des Darmbeinkammes und betont die Verbindung zwischen dem oberen Kreuzbeinrand und den unteren Lendenwirbeln (lumbo-sakraler-Übergang). Rückenschmerzen in diesem Bereich, eine allgemeine Unbeweglichkeit des Beckens und funktionelle Schwierigkeiten im Genitalbereich können das Resultat eines zu engen Leistengurts sein.

DER SCHAMBEINGURT zieht sich vom Schambein, das Leistenband (Ligamentum inguinale) kreuzend, um den großen Rollhügel der Oberschenkel (trochanter major) weiter über den Gluteus maximus am unteren Gesäßrand entlang, weiter an der Gesäßfalte hinauf und endet in der Verbindung von Steißbein zu Kreuzbein (sacro-coccygealer-Übergang). Der Schambeingurt mit seinen komplexen faserigen Verflechtungen am unteren Ende des Abdomens hat weitreichenden Einfluss auf ganz unterschiedliche Regionen unseres Körpers: Von der Stellung unseres Oberschenkelknochens ins Hüftgelenk hinein über die fragilen Ausrichtung unseres Steißbeins bis hin zu unserem Beckenboden mit deutlichen Wirkungen auf unseren Urogenitalbereich. Da der Brustkorb über den geraden Bauchmuskel eine direkte Verbindung zum Schambein besitzt und dieser Muskel oftmals verkürzt ist oder der Bauch eingezogen wird, erfährt das Schambein eine kontinuierlich hohe Zugspannung – mit erheblicher Wirkung auf den Schambeingurt. Auch verkürzte oder einseitig ziehende Ischiocrural-Muskeln (an der Oberschenkelrückseite) beeinflussen den Schambeingurt.

BAHNEN

Thomas W. Myers beschreibt in seinem Werk „Anatomy Trains"[96] ausführlich neun myofasziale Leitbahnen. Diese myofaszialen Gewebeverkettungen verlaufen vornehmlich längs durch unseren Körper als Zugkraftlinien und übertragen Spannung und Bewegung auf das umgebende myofasziale Gewebe mit Kontaktpunkten am Skelett, die er mit knöchernen Bahnhöfe und myofaszialen Gleisen vergleicht. Auch hier werde ich es bei einer relativ kurzen Beschreibung belassen.

DIE OBERFLÄCHLICHE RÜCKENLINIE verbindet in zwei Abschnitten die gesamte Rückseite unseres Körpers. Sie erstreckt sich von der plantaren Oberfläche der Zehen und der Sehnenplatte unserer Fußsohlen (Aponeurosis plantaris) bis in die Knie hinein (Femurkondylen) und von den Knien über die Sitzbeinhöcker, das Kreuzbein, die thorakolumbale Faszie, die langen Rückenstrecker über die Nackenlinie und die Sehnenplatte des Schädeldaches bis zu den Augenbrauenbögen. Die Zugspannung auf die Oberflächliche Rückenlinie vermag uns aus der anfänglichen embryonalen Beugung in die Länge aufzurichten. Allerdings sehe ich in Faszien-Rotation in der vertikalen Integration unserer Achse vermehrt eine Verkürzung dieser Rückenlinie. Bei der Streckung unserer Knie arbeiten beide Abschnitte dieser myofaszialen Leitbahn zusammen als Einheit. Jegliche Einwirkung von Spannungs- und Druckunterschieden auf unsere Plantarfaszie (Sohle des Fußes) – selbst einseitig – hat einen Effekt bis zum Scheitel unseres Kopfes.

DIE OBERFLÄCHLICHE FRONTALLINIE besteht aus zwei Teilen, die allerdings als eine fasziale Zuglinie zusammenhängend wirken, sobald das Becken hyperextensiert wird (in Faszien-Rotation z.B. bei der Bewegungssequenz des Himmelsbogens oder der Sphinx). Sie beginnt an der dorsalen Oberfläche der Zehen und verläuft bis zu den Beckenschaufeln am vorderen unteren Darmbeinstachel (Spina iliaca anterior inferior). Von den Schambeinhöckern (tuberculum pubicum) zieht sie sich über das Brustbein (sternum) bis zum Kopf seitlich hinter unseren Ohren (processus mastoideus).
Sie dient der Oberflächlichen Rückenlinie als Gegengewicht. Ihre wechselseitige Beziehung zeigt sich besonders in der vertikalen Ausrichtung unserer Achse. Hier können wir am eindrücklichsten erleben, ob sich beide Linien in einem ausgewogenen Verhältnis zueinander befinden, denn die Verkürzung oder Kontraktion einer der beiden Leitbahnen führt immer zu einer Überspannung bzw. Dehnung der anderen. In allen Beugungen unseres Körpers nach vorne kontrahiert die Oberflächliche Frontallinie.

DIE LATERALLINIEN umgeben unsere Körperseiten von Fuß bis Kopf und sind mit der Oberflächlichen Frontal- und Rückenlinie an ihren Außenkanten verwoben. Die Laterallinie beginnt jeweils an der Fußunterseite an der Basis des ersten und fünften Mittelfußknochens, zieht sich unter dem Fuß am seitlichen Wadenbeinmuskel (Musculus peroneus) zum Wadenbeinköpfchen nach oben, am Knieaußenband (Ligamentum collaterale fibulare) entlang bis zum äußeren Gelenkknorren des Schienbeines, weiter über die Darmbein-Schienbein-Sehne (Tractus iliotibialis), dem äußeren Oberschenkelmuskel und dem

Oberschenkelfaszienspanner (Musculus tensor fasciae latae), über den Gluteus maximus zum Beckenkamm (Crista iliaca), vom hinteren zum vorderen Darmbeinstachel, weiter über den äußeren schrägen Bauchmuskel (Musculus obliquus externus abdominis), den Rippen und ihren inneren und äußeren Zwischenrippenmuskeln, unter den Schultern zur zweiten und ersten Rippe. Über den Riemenmuskel (Musculus obliquus externus abdominis) und dem Sternocleidomastoideus-Muskel verbindet sich die Laterallinie mit der Wölbung am Schläfenbein (Processus mastoideus). Die Laterallinien stärken die Ausrichtung zwischen der rechten und linken Seite, sowie der Vorder- und Rückseite unseres Körpers. Sie harmonisieren alle oberflächlich verlaufenden Linien und stabilisieren die untere Körperhälfte bei Rotationsbewegungen der oberen. Zudem tragen sie dazu bei, dass wir uns seitlich beugen, drehen und dehnen können.

DIE SPIRALLINIEN umlaufen unseren gesamten Körper parallel in einer Art doppelter Schlaufe.
Von einer Seite des Hinterhauptes läuft sie vom Riemenmuskel des Kopfes (Musculus splenius capitis) über die Nackenlinie (Linea nuchae) diagonal zum großen Rautenmuskel (M. rhomboideus) der anderen Seite, um die Schulter zum großen Brustmuskel (Musculus serratus anterior), um die Rippen herum zum äußeren schrägen Bauchmuskel (Musculus obliquus externus abdominis) über die Sehnenplatte des Abdomen und diagonal über den inneren schrägen Bauchmuskel (Musculus obliquus internus abdominis) zum Beckenkamm (Crista iliaca) der gegenüberliegenden Seite. Weiter über den Oberschenkelfaszienspanner (Musculus tensor fasciae latae), die Faszia lata und den lateralen Bereich der Tibiakondylen, um von hier aus über den vorderen Schienbeinmuskel diagonal auf die Beininnenseite zu wechseln zur Basis des ersten Mittelfußknochens, quer unter der Fußsohle, über den langen Wadenbeinmuskel (M. peroneus longus) aufwärts zum Wadenbeinköpfchen (Caput fibulae), schräg über den Beinbeuger (Musculus biceps femoris) zum Sitzbeinhöcker und das breite Beckenband (Ligamentum sacrotuberale) zum Kreuzbein, über die thorakolumbale Faszie und den langen Rückenstrecker aufwärts, zur gleichen Seite wie zu Beginn, zum Hinterhauptkamm unseres Schädels. Das Gleiche geschieht natürlich auch parallel mit der anderen Spirallinie. Diesen sehr verschlungenen Zuglinien verdanken wir einerseits die Möglichkeit eines dynamischen Gleichgewichts in unserer Aufrichtung und in unseren Bewegungen; sie sorgen für Kompensationen und Stabilität während seitlicher Verdrehungen und Verschiebungen und übertragen Rotationsbewegungen. Andererseits beeinflusst und stört eine erhöhte oder auch schlaffe Zugspannung die anderen myofaszialen Leitbahnen in ihrer Funktion.

Nach T. Myers werden vier Armlinien unterschieden: die Tiefen Frontalen Armlinien, die Oberflächlichen Frontalen Armlinien, die Tiefen Rückwärtigen Armlinien und die Oberflächlichen Rückwärtigen Armlinien. Während die oberflächlichen Leitbahnen für die Flexibilität und die Bewegungskontrolle zuständig sind, sorgen die tiefliegenden für Stabilität. Evolutionstechnisch gesehen steht insgesamt natürlich die Beweglichkeit unserer Arme im Vordergrund, weshalb wir es hier mit einem größeren Spektrum an Linien und deren Verbindungen untereinander zu tun haben. Zudem sind die Armlinien nahtlos mit den

Lateral-, den Spiral- und Funktionellen Linien verwoben, wodurch sie hinsichtlich der großen Hebelkräfte, die außerhalb unserer Achse liegen, gut in unseren Körper integriert sind.

DIE TIEFE FRONTALE ARMLINIE verbindet die oberen Rippen über den kleinen Brustmuskel (M. pectoralis minor), den Rabenschnabelfortsatz unseres Schulterblattes (Processus coracoideus), unseren Bizeps, der Speichenbeinbeule (Tuberositas radii), entlang der Knochenhaut der vorderen Speichenkante, am Kahnbein (Os scaphoideum) und Vieleckbein (os trapezium) bis zu den Muskeln des Daumenballen mit der Daumenaußenkante. Diese myofasziale Leitbahn stabilisiert die Vorderseite des Brustkorbes bis zum Daumen. Durch die Verbindung zum kleinen Brustmuskel und den Rippen hat sie auch Einfluss auf unsere Atmung.

DIE OBERFLÄCHLICHE FRONTALE ARMLINIE setzt am großen Brustmuskel (M. pectoralis major) auf Höhe des Schlüsselbeins nahe des Sternums und der Rippenknorpel an, zieht sich um die Rippen herum zum großen Rückenmuskel (M. latissimus dorsi) und weiter zum Darmbeinkamm (crista iliaca). Auf der Vorderseite setzt sich die Oberflächliche Frontale Armlinie weiter über die Mittellinie des Oberarmknochens samt Gelenkknorren, der Flexoren des Unterarmes, des Karpaltunnels fort, kleidet die Handinnenfläche aus, zieht sich bis zu den Fingerspitzen. Die Oberflächliche Frontale Armlinie unterstützt die Bewegungsrichtungen unserer Arme vor unserem Körper und seitlich davon. Da sie große Muskeln umfasst, sorgt sie auch für den nötigen Kraftschub bei entsprechender Bewegungsanforderung (z.B. Kraulbewegungen im Wasser).

DIE TIEFE RÜCKWÄRTIGE ARMLINIE läuft von den Dornfortsätzen des siebten Hals- und oberen Brustwirbeln zu dem kleinen Rautenmuskel (Musculus rhomboideus minor), umspannt mit dem Schulterblattheber (Musculus levator scapulae) die mediale Kante der Skapula und den Muskeln der Rotatorenmanschette unser Schulterblatt, führt zum Kopf unseres Oberarmknochens (caput humeri) über unseren Trizeps zur Ellenbogenspitze, entlang der Knochenhaut der Elle zu unserem Handgelenk auf Höhe des Dreiecksbeins (Os triquetrum) und Hakenbeins (Os hamatum), den Muskeln des Kleinfingerballens zur Außenseite unseres kleinen Fingers. Diese rückwärtige myofasziale Leitbahn sorgt für eine geschmeidige Stabilität unserer Schultern bis in die Finger hinein. Diese Armlinie unterstützt und schützt die gesamte Oberarm-Schulterverbindung.

DIE OBERFLÄCHLICHE RÜCKWÄRTIGE ARMLINIE breitet sich von der Hinterhauptkante, vom Nackenband (Ligamentum nuchae) und den Dornfortsätzen der drei oberen Brustwirbel als Ansatzstellen des Trapezius über die Schultergräte (Spina scapulae) zum Deltamuskel aus, über das Tuberculum deltoideum, verschmilzt mit dem Septum intermusculare laterale, zieht zu den inneren Gelenkknorren unseres Oberarms (Epicondylus medialis humeri) weiter über die Extensoren unserer Unterarme und die dorsale Oberfläche unserer Finger. Die Oberflächliche Rückwärtige Armlinie ummantelt unseren oberen Rücken bis in die Außenseite unserer Arme und Finger hinein. So können Bewegungen hinter unserer Körperachse dirigiert werden. In Faszien-Rotation können wir bei der Rotation der Arme das Zusammenspiel aller Armlinien und die Wirkung bezüglich der Ausrichtung und Aufrichtung unseres Brustbeines, der Öffnung der Schultergelenke und der Spannkraft, die sich bis in unsere Flanken hineinzieht, nachvollziehen.

Da die FUNKTIONELLEN LINIEN unsere Arme über die Rumpfoberfläche jeweils diagonal mit unseren Beinen verbinden, unterstützen diese Leitbahnen unsere Bewegungen durch Kraft und Präzision und bieten gleichzeitig Ausgleichsbewegungen auf der entgegengesetzten Körperseite. Sie bestehen aus drei strukturellen Einheiten, der Funktionellen Rückenlinie, der Funktionellen Frontallinie und der Ipsilaterallinie und wirken, wenn wir uns bewegen, zusammengenommen kontralateral stabilisierend.

Die FUNKTIONELLE RÜCKENLINIE verläuft vom Schaft unseres Oberarmknochens, unseren großen Rückenmuskel (M. latissimus dorsi) und die thorakolumbale Faszie einbeziehend bis zum Iliosakralgelenk. Dort zieht sie quer weiter über den großen Gesäßmuskel (M. gluteus maximus) zum Femurschaft des gegenüberliegenden Oberschenkels über den äußeren Oberschenkelmuskel (M. vastus lateralis), die Kniescheibe einschließend, bis zur äußeren oberen Schienbeinkante.

Die FUNKTIONELLE FRONTALLINIE beginnt wie die Funktionelle Rückenlinie am Schaft unseres Oberarmknochens. Von hieraus erstreckt sie sich über die untere Kante des großen Brustmuskels (M. pectoralis major) und dem Knorpel der fünften und sechsten. Rippe über unseren geraden Bauchmuskel (M. rectus abdominis) und die Sehnenplatte der Bauchwand bis zum Schambein und durch die Symphyse hindurch im Verlauf des langen Oberschenkeladduktoren (M. adductor longus) des gegenüberliegenden Beins zur Knochenleiste des Femurs (Linea aspera femoris).

Obwohl die IPSILATERALE FUNKTIONELLE LINIE von kurzem Ausmaß ist, hat sie dennoch eine große funktionelle Bedeutung. Sie führt von den äußersten lateral gelegenen Fasern des großen Rückenmuskels (M. latissimus dorsi) bis zu den unteren äußeren Rippen. In dieser Region sind die Fasern unseres Rückenmuskels mit den hinteren Fasern des äußeren schrägen Bauchmuskels (M. obliquus externus abdominis) verwoben. Von hier zieht sich die ipsilaterale Linie über den Darmbeinstachel (SIAS) und dem Schneidermuskel (M. sartorius) quer über den Oberschenkel zur Innenseite unseres Knies (zu den inneren Gelenkknorren des Schienbeines).

Die TIEFE FRONTALLINIE liegt auf der Körpervorderseite tief eingebettet zwischen der Oberflächlichen Frontal- und Rückenlinie, zwischen den Funktionellen, den Spiral- und den Laterallinien. Da der Psoas-Muskel Teil dieser Architektur ist, kommt gerade der TFL bei der Faszien-Rotation eine entscheidende Rolle zu, verschafft sie uns doch ein profundes Erleben des inneren Raums und zentrale Stabilität. Schon subtile Veränderungen werden ganzkörperlich spür- und sichtbar. In Faszien-Rotation nutzen wir hier den Effekt der natürlichen Aufrichtung unseres Körpers.

Die Tiefe Frontallinie verläuft von den Fußwurzelknochen (Ossa tarsi) zu den inneren Gelenkknorren unserer Oberschenkel (Epicondylus medialis femoris). Von hier aus nimmt die Tiefe Frontallinie einen vorderen und hinteren Weg zu unserem und durch unser Becken, um sich auf der bauchwärts-gelegenen Seite des lumbo-dorsalen Übergangs zu verbinden. So entsteht ein dreidimensionaler Raum unseres Beckens. Von diesem aus teilt sich der nächste Abschnitt in drei Wege auf, die den Körperhöhlungen unseres Bauches, Brustkorbes und Halses mit dem Zwerchfell als elementaren Bestandteil folgen. Ein Strang der Tiefen Frontallinie verläuft bis zum Unterkieferknochen und umschließt dabei das Zungenbein. Die beiden anderen Abzweigungen in diesem Körperbereich erstrecken sich entlang des vorderen Längsbandes unserer Wirbelsäule (Ligamentum longitudinale anterius) bis zu den Querfortsätzen der oberen Halswirbel; wobei sogar das Mediastinum, der Herzbeutel und die Pleura umschlossen werden. Wir können jetzt vielleicht erahnen, welch weitreichende Konsequenzen eine schlechte Viskoelastizität dieser Zuglinie hat – sowohl für die anderen myofaszialen Leitbahnen, für unser Trage- und Bewegungssystem, letztlich jedoch für unseren gesamten Organismus.

DAS ZUSAMMENSPIEL

Durch Faszien-Rotation können wir über Spannkraft die gesamte Bindegewebsarchitektur in ihrer Viskoelastizität steigern. Dabei werden nicht einzelne Bindegewebszüge bewegt oder gar trainiert, sondern in jeder Bewegungssequenz alle Bänder und Bahnen gleichzeitig angesprochen.

Die menschliche Anatomie mit ihren faszialen Zusammenhängen und deren theoretischen Grundlagen genau zu kennen, ist für das Verständnis von Bewegung und Körperausdruck unerlässlich. Doch bei meiner Arbeit mit Faszien-Rotation verfahre ich anders. Hier steht das Zusammenwirken aller Strukturen – das ja eben unser Faszien-System auszeichnet – im Mittelpunkt. Spannen wir die Kraftzüge von einer Stelle auf, sind immer alle Gurte und Leitbahnen gleichzeitig involviert. Deshalb gliedere ich die Bewegungssequenzen von Faszien-Rotation auch ganz bewusst nicht entsprechend der myofaszialen Leitbahnen und teile sie auch nicht in Einzelfunktionen auf.

VERTIKALE INTEGRITÄT

Neben einem ausgewogenem Tonus mit gleichlaufenden Bändern, gibt es ein weiteres Maß für eine ausgeglichene Ausrichtung: Die Vertikale Integrität. Ich stelle mir unseren Körper immer wie einen Turm aus Bauklötzen vor. Dabei fällt auf, dass besonders hohe, schmale Türme oder solche mit einem zu kleinen Fundament wackelig sind. Vertikale Integrität bedeutet, dass alle Bauklötze optimal aufeinanderliegen und der Turm ganz stabil steht. Es ist gar nicht so leicht, ja geradezu eine Kunst, wirklich gut ausgerichtet zu stehen. Für den menschlichen Körper heißt das, dass sich unsere Achse stabil und flexibel in der Vertikalen befindet. Dazu müssen wir unsere Achse optimal ausrichten, so dass die Schwerkraft, von oben wirkend, so direkt wie möglich durch unsere Mittellinie verläuft.

Damit das geschehen kann, müssen wir unsere Gelenke von unten nach oben gut übereinander platzieren. Diese Ausrichtung integriert die Wellenform der Wirbelsäule und bringt sie näher an die wirkliche Achse. Sind die Faszien-Züge gleichmäßig gespannt, erreichen wir eine hohe Durchlässigkeit und müssen wenig bis gar nicht über zusätzliche muskuläre Anspannung gegensteuern. Unsere Faszien-Züge an der Körpervorder- und -rückseite sind dabei gleichmäßig gespannt (siehe das Bild Nr. 5 im Vergleich mit dem Zelt). Dies erfordert eine differenzierte Körperwahrnehmung. Faszien-Rotation schult unser Bewusstsein dafür.

Sind wir gut in der Vertikalen Integrität ausgerichtet, fühlen wir uns meist auch ganz stabil in unserer Mitte, ohne diese gesondert anzuspannen. Sind wir nicht gleichmäßig ausgerichtet, zeigen sich Kompensationsspannungen in den diagonal darüber liegenden Abschnitten unseres Körpers. Grundsätzlich lässt sich sagen: Je kopflastiger, desto instabiler, desto mehr muskuläres Halten. Die Stabilität und Ausrichtung unserer Achse zu finden, ist meist von subtilen Suchprozessen begleitet, von feinsten Justierungsversuchen auf faszialer Ebene.

VIER FRAGEN AN DEN KÖRPER

Unsere Faszie ist lebendige Materie und reagiert schon auf kleinste, feinste Impulse, die sich durch den gesamten Körper hindurchziehen. Es ist hierbei essentiell, mit sanften Impulsen zu arbeiten. So bekommt der gesamte Körper die Chance, auf einen Impuls zu antworten, indem er sich an dem Impuls entlang ausrichtet.

Die Vertikale Integration ist immer das erste, woran ich mit Faszien-Rotation arbeite.
Je mehr wir ein Gefühl für die Ausrichtung unserer Achse entwickeln, desto besser, leichter und gesünder werden wir uns bei der Arbeit, zu Hause oder beim Sport bewegen können. Die vertikale Integrität fühlt sich leicht, zentriert, frei, stabil und harmonisch an. Unsere Propriorezeptoren brauchen nur genügend Reize dieser Aufrichtung – und schon prägt sich dieses innere Bild mit dem dazugehörigen Gefühl so in unseren Körper ein, dass wir wesentlich schneller bemerken, wenn wir uns aus ihr herausbewegen. Unser Zellgedächtnis speichert nicht nur schmerzbelegte, traumatische Erinnerungen ab, sondern auch jegliche positive.

Zu Beginn ist es leichter, die Integration unserer Achse immer wieder im Stehen zu üben und sie über die Propriorezeptoren im Körpergedächtnis abzuspeichern. Haben wir erst einmal dieses Gefühl für die ideale Ausrichtung erworben, können wir uns immer wieder daran orientieren. Sie gilt sozusagen als Referenz, wenn wir uns frei durch alle Raumebenen hindurch bewegen. Es gibt immer wieder eine einfache Möglichkeit, jederzeit die Ausrichtung der Körperachse zu überprüfen. Dazu müssen nur vier Fragen beantwortet werden, die uns Auskunft darüber geben, was unsere Achse gerade macht:

- *Was macht mein Steißbein?*
- *Was macht mein Bauchnabel?*
- *Was macht mein Brustbein?*
- *Was macht mein Hinterhaupt?*

Die vier Körperpunkte fungieren als Parameter für die Integration der Wirbelsäule im Raumbezug: *unten – hinten – vorne – oben*. Sie liegen genau auf den Kurven unserer Wirbelsäule. Unser Steißbein fällt dabei nach unten. Unser Bauchnabel bewegt sich sanft nach hinten. Unser Brustbein bewegt sich/strahlt nach vorne, und zwar sanft. Und unser Hinterhaupt bewegt sich/schwebt nach oben. Und das Ganze zeitgleich. Über unsere Propriorezeptoren werden genau diese Informationen direkt ans Gehirn weitergeleitet. Wir müssen sie nur noch bewusst abfragen und entsprechend antworten – körperlich, indem wir uns ausrichten.

Durch die vier Raumrichtungen setzen wir uns in Beziehung und es entsteht Raum in uns. Bewusst ausgeführte Rotationen unterstützen die Ausdehnung des Gewebes in den Raum. Wir gewinnen innere wie äußere Länge und Weite. Durch diese Ausdehnung entlang unserer Wirbelsäule stabilisiert sich unsere Achse im Bewegungsraum – ohne ein unnötiges Halten. Denn Drücken, Pressen, Einziehen erzeugt Enge in den Gelenken und im Gewebe. Das Gefühl, zu wenig Raum zu haben, nicht in unserer wahren Größe zu sein, bedeutet auch immer, nicht genug Vitalität, nicht genug Spannkraft zu haben.

SOWOHL-ALS-AUCH

Es ist vielen Menschen zwar möglich, ihren Bauchnabel sanft nach hinten in Richtung Wirbelsäule zu bewegen, allerdings fällt infolgedessen ihr Brustbein mit nach hinten und sinkt leicht ab. Oder ihr Brustbein bewegt sich nach vorne und strahlt, allerdings um den Preis, dass sich ein Hohlkreuz bildet, da sich zusammen mit dem Brustbein leider auch ihr Bauchnabel nach vorne und ihr Steißbein nach hinten oben streckt. In beiden Fällen verkürzt sich ein Faszien-Zug: Bei der ersten Variante ist es der vordere Zug, bei der zweiten Variante der dorsale Zug, der sich zusammenzieht.
Um unsere Wirbelsäule bestmöglich zu längen, brauchen wir eine Balance beider faszialer Kraftlinien. Die Vertikale Integration erreichen wir demnach nicht mit einem trennenden entweder-oder der beiden Möglichkeiten, sondern nur mit einem sowohl-als-auch beider Bewegungsoptionen.
Ich lade Sie ein, diese Aussage doch einmal in Ihrem Körper zu überprüfen und ein Sowohl-als-auch zu üben. An der vertikalen Integrität und am guten Tonus können wir erkennen,

ob unser Körper gut ausgerichtet ist. Wir haben dann das Gefühl, dass auch unsere Knochen wieder gut an ihrem vorgesehenen Platz gekommen und gewachsen sind. Dies ist eines der Ziele von Faszien-Rotation. Probieren Sie es aus!

RICHTUNGSÄNDERUNG DURCH WORTE

Noch etwas fällt mir in der jahrelangen Arbeit mit dem menschlichen Körper immer wieder auf: Wie sehr wir auf Worte körperlich reagieren und sich Gesagtes auf unserer Körperfläche abbildet.
Dabei kommen schwächende, trennende oder verbindende Aspekte mit richtungsweisenden Qualitäten zum Ausdruck.

Auch das „aber" und das „eigentlich" haben nach meiner Erfahrung eine bemerkenswerte physische Wirkung. Während wir uns inhaltlich wie auch körperlich mit einem „eigentlich" entkräften, uns jeglicher Spannkraft berauben, führt das „aber" verbal wie auch nonverbal zu einem Richtungswechsel. Inhaltich entführt es uns von einer Hauptaussage zu einem Nebensatz, der allerdings zum gefühlten Hauptsatz wird. Jegliche Aussage, die einem „aber" folgt, hat von dem Moment an unsere ganze Aufmerksamkeit. Gleiches gilt für unseren Körperausdruck. Ein „aber" verändert innerlich sich vollziehende Richtungen und hat einen eher trennenden Effekt. Wir verlieren das, was vor dem „aber" steht aus den Augen, aus der Kraft. In unseren körperlichen Strukturen und inneren Bewegungen werden Auftrennendes, Polarisierendes oder Isolierendes des „abers" spürbar und sichtbar.
Das „und" dagegen verbindet – als würden wir mit beiden Beinen gut auf der Erde stehen. In der verbindenden, vernetzenden und zusammenfügenden Wirkung des „unds" dehnt sich unser Körper aus. Der Blickwinkel weitet sich und es entsteht Raum – auch körperlich – für die durchaus unterschiedlichen Gesichtspunkte.
Und dann gibt es noch das berühmte „ja, aber...". Das „ja" dehnt uns in den Raum nach vorne, das folgende „aber" bremst genau diese öffnende Bewegung aus und stoppt.

Verehrte Leserinnen und Leser: Spätestens an dieser Stelle dürfte aufgefallen sein, dass dieses Buch auf jedes „aber" verzichtet – und mit Ausnahme dieses Kapitels auch sehr gut ohne auskommt.

ALLER ANFANG HAT ES IN SICH: ONTOGENESE UND PHYLOGENESE

Nicht nur die Ontogenese, also die individuelle menschliche Entwicklung, spielt eine Rolle bei der Bewegungsentwicklung, sondern auch die Phylogenese, die stammesgeschichtliche Entwicklung von Lebewesen. Hinsichtlich der Bewegungsentwicklung durchlaufen wir andeutungsweise die Evolutionsgeschichte des Tierreiches.

ONTOGENESE: Wachsen und Formen

Unsere embryonale Entwicklung folgt genauen Gestaltungsmaximen, bei der der Vorgang der Aus- und Einstülpung ein elementares Prinzip ist – und zwar vom ersten Moment des Wachstums an. Schon hier zeigt sich das Phänomen, dass am Beginn jeder Entwicklung eine Ausrichtung steht.

Die erste Doppelhülle formt sich durch die Ausstülpung der äußeren und inneren Zellschicht. Daraus entstehen die Doppelhüllen des Amnion- und Dottersacks in der zweiten Schwangerschaftswoche. Aus der zweiblättrigen Keimscheibe bilden sich in der dritten Woche die drei Keimblätter des Ektoderms, Entoderms und Mesoderms. Dieser Prozess wird auch Gastrulation genannt.

- Aus der äußeren Schicht, dem Ektoderm (mit dem Amnionsack verbunden) entstehen das Gehirn, das Nervensystem, die Sinnesorgane und die Haut.
- Aus der mittleren Schicht, dem Entoderm (mit dem Dottersack verbunden) entspringt das flüssige vaskuläre Netz: das Kreislaufsystem, das Verdauungssystem und dessen Drüsen.

- Aus dem dazwischen liegenden Mesoderm werden die Muskeln, die Knochen, das Blut, die Lymphe, das urogenitale System (inklusive der Drüsen der Nebennierenrinde) und das Bindegewebe im Allgemeinen gebildet.[97] [98]

„Es ist nicht die Geburt, die Hochzeit oder der Tod, sondern die Gastrulation, welche in Wirklichkeit der wichtigste Zeitpunkt in deinem Leben ist."[99]

Es ist ein großer Schritt von der ersten Keimzelle, der zweischichtigen Keimscheibe, bis zur Ausbildung der Keimblattbildung und zu der ersten erkennbaren Form des Embryos. Ein Entwurf der Richtung existiert vorab und initiiert die Entwicklung. Selbst in der Welt der Pflanzen finden wir dieses Lebensprinzip: Sie richten sich zum Licht hin aus.
Das bedeutet, dass sich alles Leben nur anhand von Richtungen entwickeln kann. Nicht von außen fügt sich etwas an, sondern Richtung und Bewegung der flüssigen Matrix bringen neue, immer komplexere Gebilde hervor in einer ganz organisch anmutenden Art und Weise. Haltung bedeutet Stillstand – sie ist nicht lebenskonform, sie widerspricht der Evolution. Transformation ist Bewegung und jeder Bewegung liegt eine Richtung zugrunde.

Zu Beginn der dritten Woche kommt es zu einer bandartigen Zellverdichtung am unteren Ende der Keimscheibe, die als Primitivstreifen bezeichnet wird. Es entsteht im weiteren Verlauf der nächsten Tage eine Art Achsenstab, die sogenannte Chorda dorsalis, das ursprüngliche mesodermale, innere Achsenskelett. Diese primäre Mittellinie ist die erste Achse des Embryos, die weiche Säule, um die sich alle Strukturen organisieren und aus der sich im weiteren Verlauf noch die Wirbelkörper und die Bandscheiben entwickeln werden.[100]
Von nun an können ein kraniales (nach oben) und ein kaudales (nach unten) Ende am Embryo unterschieden werden; und eine ventrale (zur Vorderseite hin) und dorsale (zur

Rückseite hin) Richtung, so wie eine rechte und linke Seite. Weitere Zellteilung der schon existierenden Zellen und Generierung neuer Zellen durch die Chorda dorsalis lassen den Wachstumsprozess zügig voranschreiten. Während sich die Chorda dorsalis entwickelt, verdickt sich aus dem über ihr gelegenen Ektoderm die Neuralplatte. Hieraus bildet sich das Neuralrohr und im weiteren Verlauf unser gesamtes Nervensystem mit dem Rückenmark und dem Gehirn.[101]

Mit der Entwicklung des Primitivstreifens entsteht das dritte Keimblatt, das intraembryonale Mesoderm, aus dem durch Mesoblastzellen (= Mesenchymzellen) das Mesenchym gebildet wird: Das embryonale Bindegewebe. Diesem kommt eine besondere Bedeutung zu. Die embryonalen Bindegewebszellen haben die Eigenschaft zu proliferieren, sprich: sich schnell zu teilen und zu wachsen. Weiterhin sind sie fähig, sich zu unterschiedlichen Zelltypen zu differenzieren. So haben die Zellen, die für die Bildung unseres Bindegewebes (Fibroblasten), unserer Muskeln (Myoblasten), unserer Knorpel (Chondroblasten) und unserer Knochen (Osteoblasten) zuständig sind, denselben Ursprung. Dieselbe Keimschicht produziert fortan Sehnen, Bänder, Knorpel, Knochen, Mark, Muskeln, Blut, Lymphe, Blut- und Lymphgefäße, die Oberflächenauskleidung von Körperhöhlen, die Gelenkkapseln, Nieren, Harnwege, Gonaden, Genitalleitungen und die Nebennierenrinde.

Das Bindegewebe kann als eine Membran gesehen werden. Denn die Mesenchymzellen, als embryonale Stammzellen, schütten Retikulin aus, das sich durch alle Schichten hindurchzieht. Ein erstes Netz entsteht aus diesen noch unreifen Kollagenfasern (Retikulin).[102] Während die Zellen des Ektoderms und Entoderms schon relativ früh spezialisierte Strukturen annehmen, bleibt das Mesoderm noch relativ lange multi-potent. Ein extremes Beispiel dafür sind die Retikulumzellen des Mesenchym: Einige Retikulumzellen bleiben ein Leben lang frei wandelbar. So können sie jederzeit – je nachdem, wofür sie vom Bindegewebe gebraucht werden, – an jeden Ort wandern und sich den Bedürfnissen anpassen. Es ist ein wahrer Regenerationspool aus mesenchymalen Stammeszellen. Selbst im Erwachsenenalter greift unser Körper immer noch auf einen Teil unserer Retikulumzellen des embryonalen Bindegewebes zurück (z.B. bei der Bildung weißer Blutkörperchen im Falle einer Infektion oder für neues Gewebe bei der Wundheilung).[103]

Zu Beginn wohnen jeder Zelle vielfältige Möglichkeiten inne.[104] Zellen nehmen Sauerstoff aus dem Blut auf und geben giftige Abfallprodukte ab. Durch diesen konstanten Zufluss und Abfluss von Energie entsteht ein sanftes, rhythmisches Pulsieren: ein Kontrahieren und Expandieren. Jede Zelle zieht sich selbständig zusammen und dehnt sich aus, unabhängig von der externen Atmung durch die Lunge.

Jedes Wachstumsstadium stellt neue Erfordernisse an die innere Welt des Embryos. Erst diese neuen Herausforderungen führen dazu, dass sich die Zellen immer weiter differenzieren. Die Gewebe und Organe der einzelnen Körpersysteme beginnen, sich zu unterscheiden und zu spezifizieren. Jetzt ist es erforderlich, dass ihre räumliche Organisation eingehalten wird.[105]

Natürlich gibt es so etwas wie einen allgemeinen Entwurf, eine Konzeption des Entwicklungsprozesses mit dazugehörigem Plan. Doch dieser ist ganz individuell geprägt. Unsere Verschiedenheit und Einzigartigkeit haben ihre Ursache auch in den Reaktionen auf die besonderen Lebensumstände, in der Erwiderung auf die vielfältigen äußerlichen wie innerlichen Stimuli – schon im Mutterleib. Wir sind somit auch die Summe unserer Gestaltungs-Antworten auf die Anforderungen des jeweiligen Lebenszusammenhangs.

FASERBILDUNG IN WACHSTUMSPROZESSEN

Der Prozess der Faserbildung vollzieht sich unser ganzes Leben lang. Dabei bilden Bindegewebszellen (Fibroblasten) Fasern und schütten sie aus. Untersuchungen zeigen, dass Druck, Spannung oder Reibung auf einen Körperbereich ausgeübt, Bindegewebszellen dazu veranlassen, eine vermehrte Faserbildung in der entsprechenden Zone anzusammeln. Diese Fasern tendieren dazu, sich um die erzeugten Spannungs- oder Reibungslinien anzuordnen und zu verdichten. Dies wirkt sich auf die intrazelluläre Matrix aus.[106] Dieser Prozess kann sich unter bestimmten Umständen beschleunigen oder verlangsamen. Cortisol beispielsweise hemmt die Aktivität dieser Fibroblasten, das Wachstumshormon Somatotropin hingegen beschleunigt sie, so auch während des Wachstumsprozesses der Bänder und Sehnen. Der Fötus wächst, die Knochen (Knorpelgewebe wird allmählich durch einen höheren Mineralienanteil der Knochen ersetzt) werden länger. Während des Wachstums schieben sich jeweils zwei Knochenenden voneinander weg. Sie ziehen sich auseinander und erzeugen so Spannung zwischen ihren „Köpfen" im Bindegewebsbett. Dieser Impuls wird von den Bindegewebszellen aufgenommen. Sofort sammeln sich vermehrt Fasern an der Knochenhaut (Periost) an. Es entstehen Bänder und Sehnen. Die Zugsrichtung der Knochen gibt die Richtung der Bänder und Sehnen vor. Die Muster der Muskeln, Bänder und Sehnen bilden sich schon sehr früh im Wachstums- und Reifungsprozess. Erst mit der Zeit stabilisieren sich diese Strukturen.[107]

FRÜHE ROTATIONSMUSTER

Bei der menschlichen Entwicklung spielt das Timing eine wesentliche Rolle: Die Dauer und die Besonderheiten des zeitlichen Ablaufs entscheiden über die Koordination im Raum. Dabei gibt es sowohl ein übergeordnetes allgemeines wie auch ein ganz individuelles Timing.

Nach dem dritten Schwangerschaftsmonat hat der Fötus schon die größten Herausforderungen der embryonalen Phase überstanden. Ab jetzt beginnt die Entwicklung vor allem in Größe und Differenzierung. Solange er noch so klein ist, sind vor allem die Einflüsse der inneren Umgebung von Bedeutung. Doch im weiteren Wachstum spielt die äußere räum-

liche Begrenzung eine immer größere Rolle. Individuelle Besonderheiten der Körperform werden allmählich sichtbar. Die Art und Weise, wie der Fötus im Bauch der Mutter liegt, entscheidet letzten Endes auch über die Anordnung und Muster der Faszien-Züge.[108]
Ob der Kopf eher rechts oder links oder zwischen den Beinen liegt, wie die Arme um den Körper geschlungen sind, spielt eine zentrale Rolle für die – später immer noch sichtbare – Anordnung der faszialen Rotationsmuster. Diese Faktoren beeinflussen im besonderen Maße die Wirbelsäule und ihre Verbindung zum Kopf.[109] Je älter wir werden, desto mehr prägen äußere Reize und Einflüsse unsere weitere Entwicklung – sogar noch im Erwachsenenalter.

Aus dem Gewebe des Mesoderms entstehen Knochen, Knorpel, Sehnen, Bänder und Muskeln. Alle diese Bindegewebearten teilen das gleiche charakteristische Entwicklungsmuster, auch wenn sie sich in ihrer Konsistenz und damit in ihrer Elastizität voneinander unterscheiden. Was geschieht, wenn Bindegewebestrukturen sich organisieren? Knorpel- und Knochengewebe entstehen dort, wo sich das Mesenchym verdichtet. Wenn das Knorpelgewebe in ein Bindegewebebett eindringt, werden richtungsweisende Spannungslinien erzeugt. Wie schon an anderer Stelle beschrieben, führt dies immer dazu, dass vermehrt Gewebe produziert wird, das sich entlang dieser Linien ansammelt und verdichtet. Dies wiederum bewirkt einen größeren Zug, wodurch es zur weiteren Produktion von Fasergewebe kommt. Knorpel wird später mit Ausnahme einiger weniger Strukturen durch Knochen ersetzt. Dieser Vorgang nennt sich enchondrale Ossifikation.[110]
Es gibt allerdings auch Knochengewebe, das sich direkt aus dem Mesenchym (desmale Ossifikation) entwickelt und nicht erst durch Umwandlung von Knorpel. Dies sind die platten Knochen des Schädeldaches, der Gesichtsschädel und die Schlüsselbeine.[111]

SEHNEN

Da Faszien den gesamten Körper durchziehen, wird eine lokale Muskelaktion immer ganzkörperlich übertragen. Diese Interaktion entwickelt sich schon sehr früh. Unsere Muskeln sind durch Sehnen mit unseren Knochen verbunden. Auf der einen Seite durchziehen die dichten kollagenen Bindegewebsfasern der Sehne das Periost (Knochenhaut) und fügen sich in die äußeren Knochenstrukturen ein. Auf der anderen Seite verliert das Bindegewebe um den Muskel seinen sehnenartigen Charakter und wird zum Muskelbett. Die Enden des Originalbandes bleiben als Sehnenfasern erhalten. Statt davon zu sprechen, dass der Muskel sich innerhalb der Sehne befindet, wäre es richtiger zu sagen, dass die Sehne sich durch den Muskel hindurchzieht.[112] [113]

FASZIALER BLUEPRINT

Dort, wo sich Bindegewebelinien über lange oder weite Flächen hinziehen und Platten bilden, heißen sie Aponeurose. Unter unseren Füßen ist es die Plantarapneurose, in den Handinnenflächen die Palmarapneurose, an der vorderen Bauchwand die Rectusscheide und an der Außenseite unseres Oberschenkels die Faszia lata. Wir können dies sehr schön an der Verbindungslinie sehen, die zwischen dem Hinterhaupt über die Mittellinie der gesamten Wirbelsäule abwärts und weiter über das Gesäß bis zu den Knien an der Beinaußenseite entlang in Richtung Füße verläuft. Dieser sehr augenfällige verstärkte Faszien-Zug entsteht durch die nach vorne gebeugte Ausrichtung des Fötus im Mutterleib. Das Kind wächst, der Raum wird enger und damit nimmt der intrauterine Stress zu. Durch den vermehrten Zug auf die Körperaußenseite verdichtet sich das Bindegewebe entlang dieser Stellen. Letztlich werden durch das verdichtete Gewebe nur die Spannungslinien (Stresslinien = Linien gleicher Hauptanspannung) sichtbar.[114]

Nirgendwo im Körper existieren Züge isoliert voneinander. Immer überkreuzen sich die Spannungen zwischen ihnen. Auch auf der Körpervorderseite entsteht eine Spannung in die entgegengesetzte Richtung. Durch die andauernde Beugung des wachsenden Körpers nach vorne ziehen sich die Gewebe zusammen, die von den Rippen bis hin zum Schambein laufen. In der Beugung der Beine laufen die unterschiedlichen Richtungen zusammen und führen zu einer mitunter großen Spannung innerhalb der Leiste. Ein verkürztes Leistenband behindert später unseren Bewegungsradius oder lässt die Bewegungen unseres Beines ineffizient erscheinen.

Bis zur Geburt hat sich ein vollständiges Faszien-Netz durch das Spiel zwischen genetischem Blueprint und intrauterinem Stress austariert.[115]

BEWEGUNG UND SCHWERKRAFT

Entwicklung findet kontinuierlich statt und ist mit der Geburt nicht abgeschlossen. Die Geburt ist allerdings ein signifikanter Einschnitt, den wir auch für unseren Reifungsprozess benötigen. Im Feld der Schwerkraft bieten sich andere Möglichkeiten der Fortentwicklung als im sanften Element des Wassers.

Bei der Geburt ist das Bindegewebe strukturell gesehen noch relativ wenig definiert. Es fehlt an Kraft, an Spannkraft, an festeren knöchernen Anteilen, besonders im Becken und den unteren Gliedmaßen. Sie sind noch ein wenig unreif. Dagegen sind im Rumpf und den Armen der Kalzifikationsprozess (aus Knorpelgewebe wird durch Einlagerung von Mineralsalzen Knochen) schon gut vorangeschritten. Das Becken und die Beine sind vorwiegend knorpelig und weisen in den Gelenken noch sehr viel Frei- und Hohlraum auf. Der Prozess der Kalzifikation ist normalerweise nicht vor dem 20. bis 25. Lebensjahr vollendet.

Entwicklung verläuft von oben nach unten und hinten nach vorne. So „entfernt" sich der Kopf in der Anlage (Chorda dorsalis) vom Becken nach oben hin und die Wirbelsäule und der Verdauungstrakt entwickeln sich dann vom Kopf in Richtung Becken. Auch sind die oberen Glieder vor den unteren sichtbar. Bei der Arbeit mit Faszien-Rotation bauen wir die einzelnen Bewegungssequenzen deshalb in genau umgekehrter Reihenfolge immer von unten nach oben auf.

Eine weitere Beobachtung aus der Entwicklung des Fötus, die in Faszien-Rotation Berücksichtigung findet, ist das im Mutterleib dominante Bewegungsmuster der radialen Symmetrie. Der Nabel ist als Verbindung mit der Welt und als Körpermitte der sechs Glieder (Kopf, Steiß, Arme, Beine) zentral. Bei dem radial symmetrischen Muster entsteht ein Bewegungsrhythmus der einzelnen Körperglieder, einerseits durch Beugen und Kontraktion zur Mitte hin und andererseits durch Längen, Ausdehnen und Öffnen vom Zentrum gleichmäßig in alle Richtungen fließend. Alle Bewegungen von unserer rechten zur linken Körperseite, von unserer unteren zur oberen Körperhälfte und diagonal verlaufen immer durch unsere Körpermitte. Die Verbindung und Integration unserer Gliedmaßen geschieht durch unser gesamtes Faszien-System. Kann die Energie entlang dieser Verbindungen frei fließen, können unsere Bewegungen natürlich ausgeführt werden – in jedem Alter.

Dies ist ein weiterer Grund, warum bei Faszien-Rotation unser Körperzentrum möglichst frei gelassen und nicht unnötig angespannt wird. Nur so kann sich die Bewegung entlang der Kraftlinien durch unseren gesamten Körper ziehen. Von den Füßen initiierte Rotationen bauen die Spannkräfte bis zu unserem Schädel auf und stabilisieren unser Zentrum. Wenn wir unsere Mitte hingegen kontrahieren, geht unsere Durchlässigkeit für Bewegung verloren und die Spannkraft wird blockiert. Wenn wir unseren Bauch fest einziehen, werden unsere Bewegungen wie durch einen mittigen Knoten gestoppt. Bewegungen, die so ausgeführt werden, erscheinen unverbunden, arm- oder beinlastig. Sind dagegen unsere Körperglieder über unsere Mitte integriert, werden unsere Bewegungen immer geschmeidiger, und wir können sie mit viel Leichtigkeit ausführen.

SCHOKOLADENSEITEN

Erst mit dem Beginn der Geburt entfaltet sich unser Körper aus der Beugung. Recken, Strecken, Ausdehnen sind Ausgleichsbewegungen. Und spätestens beim aufrechten Gang zeigt sich unsere ganze Körperlänge. Jeder Bewegungsreiz löst spezifische Spannungsimpulse im Körper aus. In der Folge entwickeln sich neue oder weitere Züge im Fasernetz. Entweder verdrängen oder überlagern sie die primären Strukturen. Im zweiten Fall schlummern die frühen Spannungsmuster weiterhin im Körper. Die Position des Kindes im Mutterleib ist demnach ausschlaggebend für die strukturelle Entwicklung der späteren Ausrichtung. Unsere Vorlieben, bevorzugte Drehrichtungen, unsere „Schokoladenseiten" deuten sich früh an – und können uns unter Umständen ein ganzes Leben lang begleiten.

EINGESCHRÄNKTE ATMUNG

Selbst die Atmung kann hiervon betroffen sein. Manche Menschen atmen eher oberflächlich, anderen fällt es grundsätzlich leicht, sehr tief zu atmen. Wir alle haben eine sehr frühe Atemerfahrung. Dabei spielen viele Faktoren eine Rolle. Ich möchte an dieser Stelle eine Dynamik aufzeigen, die wesentlich mit dem frühesten Atemerlebnis zu tun hat.
Die eigene Atmung fordert dem Neugeborenen einen immensen Kraftakt ab. Die intrauterinen Atembewegungen waren, bedingt durch die Beugung, sehr oberflächlich. (The endless web S.21) Unter ganzem Einsatz des Zwerchfells und der Zwischenrippenmuskeln, die bis dahin durch die Position im Mutterleib zusammengepresst wurden, nimmt das Neugeborene den ersten Atemzug. Dann muss es nicht nur die amniotische Flüssigkeit aus den Lungen herausstoßen, um die Luftwege zu klären, sondern die gesamte Körpervorderseite in ganzer Länge ausdehnen. Die verklebten Myofaszien in diesem Bereich müssen erst einmal an Weite gewinnen. Dies erfordert eine besonders große Anstrengung.

Als Erwachsene kennen wir ein ähnliches Gefühl: Nach einem starken Bronchialinfekt ist unsere Atmung noch eine Weile eingeschränkt und oft schmerzhaft. Wir müssen uns überwinden, tief zu atmen. Über ein Bewegen des Brustkorbes „schmieren" wir sozusagen unsere Pleura und den Raum zwischen Brustfell und Bauchfell. Normalerweise gleiten sie bei der Atmung ganz von alleine aneinander entlang, doch nach einem Infekt fühlt sich diese Bewegung oft wie eingerostet an.
Gleiches gilt für den gelegentlich auftretenden plötzlichen Stechschmerz in der Brustgegend (ich meine damit nicht Symptome koronarer Erkrankungen). Auch hier kann es passieren, dass die beiden Membranen aneinander kleben und dieses Stechen auslösen. Aus Furcht vor weiteren Schmerzen halten wir reflexartig in der Bewegung inne und schränken unsere Atmung auf ein Minimum. Wir erinnern uns: im Bindegewebe sitzen unter anderem die Schmerzrezeptoren.

Genau das Gegenteil hilft uns aus dem Spannungsschmerz: weite Bewegung, und zwar möglichst sanft, mit leichten Rotationen im Rumpf unter Einbeziehung der Arme. Besonders wirksam lässt sich das myofasziale Gewebe der Zwischenrippenmuskeln lockern, wenn wir jeweils mit den Ellenbogen weite Achten in den Luftraum beschreiben. Die Betonung liegt hier auf weit. Genauer: Bewegungen, die in die Weite führen, öffnen und befreien von Verklebungen der Faszien. Ich bevorzuge Achten, da unsere Zwischenrippenmuskeln diagonal überkreuz angelegt sind (musculi intercostales externi) verlaufen nach vorne/unten; musculi intercostales interni verlaufen nach hinten/unten). Denn diese Bewegungen geben genügend Raumimpulse und zeichnen die innere Struktur nach.

VON DER AMÖBE ZUM AUFRECHTEN GANG:
Wie sich unsere Bewegung aus dem Tierreich entwickelt

Schauen wir uns die gleiche zeitliche Entwicklung aus einer anderen Perspektive, aus der des Body-Mind-Centerings (BMC) an. Das vor rund 50 Jahren von Bonnie Bainbridge Cohen entwickelte BMC basiert auf empirischen Studien, die die Ausgestaltung und Anwendung von anatomischen, physiologischen, psycho-physischen und die Entwicklung betreffenden Prinzipien einschließen. Dafür nutzt sie Bewegung, Berührung, Stimme und Mind.[116] Für diesen integrierten Ansatz für Bewegung, Körper und Bewusstsein hat die Bewegungsforscherin 1973 ihre eigene Schule gegründet.

Ich hatte das Glück, BMC schon früh auf meiner eigenen Körper-Bewegungs-Reise kennenzulernen. Vier Jahre lang habe ich mich intensiv, aktiv erforschend in Seminaren, Studygroups und persönlichem Austausch damit beschäftigt. Mein Erleben und die Reflexion darüber haben meinen Wissens-Erfahrungs-Raum enorm erweitert. Ich habe keinen anderen Ansatz gefunden, der so ganzheitlich arbeitet wie das Body-Mind-Centering. Seit 1993 haben diese Erfahrungen der experimentellen Anatomie meine Idee zu unserem Körper, zu unserer Bewegung und Wahrnehmung geprägt und fließen auch in meine Arbeit mit Faszien-Rotation ein. Deshalb möchte ich an dieser Stelle der Körperentwicklung auf die Grundlagen der Bewegungsentwicklung hinweisen.

Alle neuromuskulären Bewegungsmuster bilden einen Grundplan für die Entwicklung von Bewegung und sorgen für eine emotionale, mentale und kreative innere und äußere Orientierung.
Unser Nervensystem, die Wahrnehmung unseres Selbst und unserer Umwelt, werden durch unsere Bewegungen als Fötus stimuliert und entwickelt. Das ist das Fundament, auf dem weiteres Lernen und die Modi unserer Interaktionen und Fähigkeiten basieren. Unsere Gesundheit und die zukünftige Entfaltung unseres Potentials hängen stark von unserer frühen Erfahrung ab. So bleiben Formenentwicklung und Bewegungsmuster ein Leben lang gespeichert: Vom Einzeller bis zum aufrecht gehenden Menschen. Es gibt unendlich viele Variationen, in denen sich diese Muster individuell ausdrücken – obwohl sie Gesetzmäßigkeiten unterliegen, die für alle Spezies in den jeweiligen Entwicklungsphasen gleich sind.

Der Entwicklungsprozess von Bewegung ist eine Transformation und folgt einem Zyklus der Evolutionsgeschichte des Tierreichs. Alle Entwicklungsstufen bauen aufeinander auf und sind die Grundlage für unsere Wahrnehmung und unseren Ausdruck. So sind unsere Bewegungsmuster eng mit unseren Gedanken- und Gefühlsmustern verwoben. Am Anfang unseres Lebens lernen wir durch Bewegung. Und durch Bewegung etablieren wir eine Basis für unser körperliches, sinnliches und geistiges Reifen. Je vollständiger ein Entwicklungsschritt vollzogen wird, desto kraftvoller und effektiver kann der nächst darauf aufbauende erfolgen.

Bei der Bewegungsentwicklung spielen die Beziehung mit der Schwerkraft und die Verarbeitung unterschiedlicher Sinneseindrücke aus der Umgebung eine große Rolle: Sinnliches Be-Greifen und physisches Feedback. Wie sicher, verbunden, entspannt, koordiniert und reaktionsfähig wir uns fühlen, hängt stark von dieser Basis ab. Ein gutes Körpergefühl ist die Quelle für unsere Beziehungsfähigkeit. Nicht nur auf zwischenmenschlicher Ebene, sondern auch ganz allgemein: Die Fähigkeit, mich in Beziehung mit mir und meinem Leben zu setzen.

REIFEN BRAUCHT ZEIT

Als Kinder brauchen wir in diesem Alter viel direkten Körperkontakt mit der Erde, um einen sicheren Umgang mit unserem Körper und innerhalb unseres Körpers aufzubauen. Wir stemmen uns gegen den Untergrund und erhalten Informationen zu unserem Gewicht, unserer eigenen Masse und kraftvollen Basis und erleben uns in unserer Stärke und Ausdauer. Voller Neugier ziehen, drehen, gleiten, wippen, rollen, lurchen, krabbeln, zappeln wir bäuchlings, rücklings, vorwärts, rückwärts durch den Raum. Wir überwinden unseren eigenen Schwerpunkt durch Bewegungsimpulse, bei denen wir beide Arme oder beide Beine gleichzeitig benutzen. Wir robben amphibienartig und lernen, unsere beiden Körperseiten zu differenzieren und uns um die eigene Achse zu drehen. Wir entwickeln in Überkreuz- und Diagonalbewegungen Koordination und Geschwindigkeit. Wir erfahren uns zunehmend in unserer Selbstständigkeit und dehnen uns über unseren persönlichen Raum hinaus aus. Dabei entstehen Nähe und Distanz. Wir differenzieren und integrieren einzelne Körperbereiche und initiieren immer bewusstere, intentionsgesteuerte und zielgenaue Bewegungen. Wir erkunden die verschiedenen Raumebenen und ermessen auch den Raum davor und dahinter. Wir lernen uns, mutig, neugierig und mit eigener Kraft in noch unbekanntes Terrain hineinzubewegen, unseren Spielraum zu erweitern und entwickeln ein Gefühl dafür, selbstständig darin zu agieren. Wir sind aktiv im Austausch mit der Welt in uns und um uns herum.
Diese Beschreibung betrifft eine normale Entwicklung. Sicherlich müssen wir immer auch Einschränkungen machen. Es ist mir ein Anliegen, darauf hinzuweisen, dass unser Reifen auf allen Ebenen unseres Seins von viel mehr Faktoren abhängt, als uns bewusst ist – gerade in dieser frühen Lebensphase. Alle frühen Bewegungen liefern primäre Reize. Durch sie reifen unsere noch nicht ausreichend ausgebildeten Strukturen und lassen uns zu einem kompetenten, selbstständigen und mit Allem verbundenen Menschen heranwachsen. Je älter wir werden, desto mehr haben sich zuvor fließende Strukturen gefestigt, was uns oftmals einschränkt. Je enger und fester wir in unserem Körper sind, desto enger ist es auch in uns – das gilt auch umgekehrt.

Wenn wir die Welt in unserem individuellen Timing vom Liegen bis zum aufrechten Gang selbst erobern können, bilden sich ein elastisches und gesundes Faszien-System und ein vitaler Muskeltonus. Ist dieser Prozess optimal in unserem Körpersystem verankert und durch Bewegung in die Peripherie hinein integriert, dann ist unsere Wirbelsäule frei, mobil und sie muss sich nicht angespannt aufrecht halten. Ich nehme an, dass dies einen weitaus entspannteren Umgang mit uns, unserem Körper und der Welt ermöglicht, als ein Faszien-System, das schon früh in Haltemuster gepresst wurde.

IMMER SCHÖN DER REIHE NACH

Zu beachten ist außerdem die Reihenfolge: Vor dem Laufen kommt das Krabbeln. Beim Überkreuz-Krabbeln entsteht eine sequentielle Rotation in der Wirbelsäule durch die Gewichtsverlagerung über die Diagonale. Es übt die Balance zwischen oben und unten sowie rechts und links. Das ist wichtig, damit wir später beim aufrechten Gang sanft pendelnd im Gleichgewicht bleiben. Weiterhin wird durch die Knie-Hüftverbindung beim Krabbeln die Faszia lata (die seitliche straffe Bindegewebshülle am Oberschenkel) hin zum Gesäßmuskel aufwärts in unsere Wirbelsäule hinein verstärkt. Dieses Bewegungsmuster kräftigt unseren unteren Rücken und initiiert darüber hinaus eine neue Richtung in diesem langen Faszien-Zug.[117]
Dieser wichtige Bewegungsablauf schult dabei auch unsere Koordination und verankert die Rechts-Links-Verbindung der Hemisphären unseres Gehirns. Wird das Krabbeln übersprungen, treten in der Kindheit eher Seh- und Lernschwächen auf.

Auch wenn Kinder überfordert werden, wenn sie sich schneller, weiter, höher bewegen, als es für ihre jeweilige Entwicklungsstufe natürlich wäre, ist das eine Gefahr. Allzu ehrgeizige Eltern oder Kinder beachten nicht, dass ein überbeanspruchtes oder noch unreifes Gelenk Schaden nehmen kann. Selbst Kompensationsspannungen oder physische Veränderungen im Gelenk, wie Deformationen, können sich so schon früh manifestieren.

DER FUß

Zu Beginn unseres Lebens sind unsere Füße eher eine Verlängerung unserer Beine. Das sehr komplexe Fußgelenk braucht Zeit und Übung, bis es sich gut ausgebildet hat und stabil genug ist, unser Körpergewicht zu tragen. Weil unser Sprunggelenk extrem belastbar sein muss, besteht es aus einem oberen und unteren Sprunggelenk mit sieben Fußwurzelknochen, die zusammen drei Gelenkräume bilden, und einem sehr verflochtenem Faszien-Gefüge. Das obere Sprunggelenk muss das bis zu Fünffache unseres Körpergewichts tragen können.[118]
Unser Fersenbein (Calcaneus) ist der größte und längste Fußwurzelknochen. Wenn wir klein sind, steht der Calcaneus noch in einem sehr steilen Winkel zu unserem Sprungbein (Talus). So kann unsere Ferse nicht wirklich den Boden erreichen. Hinzu kommt, dass die Muskeln unseres Wadenbeins noch nicht genügend gestreckt sind.[119]

Auch wenn wir uns beim aufrechten Gang eben nicht mehr auf allen Vieren bewegen, so haben wir doch vier Stützpunkte, die unser Gleichgewicht gewährleisten: Das Gewicht verteilt sich im Fuß jeweils auf unser Fersenbein und die Zehenballen.[120]

Da die einzelnen Fußwurzelknochen von unterschiedlicher Größe und Form sind, haben sie zum Teil mehrere Gelenkflächen. Unser Sprunggelenk ist dadurch enorm beweglich und kann auf vielfältige Unebenheiten reagieren und sie abfedern. Allerdings hat diese Beweglichkeit auch eine destabilisierende Wirkung. Wir können schnell umknicken und dabei unsere Bänder überdehnen. Ein instabiles oder auch starres Sprunggelenk hat großen Einfluss auf unsere gesamte Statik.

Zwischen dem Fersen- und dem Sprungbein befindet sich an beiden Knochen jeweils kleine Kerben, die den Tunnel Canalis tarsi bildet, durch den das sehr starke Zwischenknochenband (Ligamentum talocalcaneum interosseum) führt, das dem unteren Sprunggelenk zur Stabilisierung dient. Um für ein optimales Abtasten und Wahrnehmen des Untergrundes beim Stehen und Gehen zu sorgen, ist es mit mehr Propriorezeptoren ausgestattet als jedes andere Körpergewebe.[121] Vom Fersenbein bis zu den Zehen verläuft das lange Sohlenband (Aponeurosis plantaris). Es schützt die Muskeln, Sehnen und Blutgefäße der Fußsohle und erhält unter anderem das Längsgewölbe aufrecht. Das Sohlenband ist Teil des langen Faszien-Zuges, der sich bis zur Schädeldecke hin erstreckt.
Bei allen Rotationen der Füße ist das Sohlenband das erste mit dem Untergrund in Berührung stehende Faszien-Gewebe, durch das die Spannkraftzüge aufgebaut werden. Leider kann gerade das Sohlenband verkleben oder sich verkürzen – alleine schon durch einengende Schuhe oder sehr hohe Absätze. Auch Narbengewebe, das etwa durch spitze Splitter oder Schnitte entstanden ist, beeinflusst unter Umständen die Biegsamkeit unseres Fußgewölbes.
Wenn unsere Füße nicht angemessen beweglich sind, können sich Spannungen bis in den Kopf hinein ausbreiten und es kann zu Schulter-Nacken-Beschwerden kommen. Natürlich gibt es weitere Erklärungen und Gründe für diese Beschwerden. Dennoch fängt für mich das Lösen dieser Spannungen immer im Fuß an. In Faszien-Rotation nutzen wir genau diese langen Spannungsketten und bauen entlang ihrer Zuglinien Kraft auf. Von der Ferse rotierend können wir den Körper über die gesamte Länge ausrichten und stabilisieren. Wenn sie solide entwickelt ist, kann unsere Ferse als Drehachse und gleichzeitig als Stützpunkt fungieren. Dabei wird die Kraft, die von der Ferse ausgeht, auf den gesamten Fuß bis hin zu unseren lang und entspannt am Boden aufliegenden Zehen verteilt.

Beim schnellen Laufen, Rennen, Joggen hingegen setzen wir als erstes den Ballen des Fußes auf und rollen über den Vorderfuß ab. Die Geschwindigkeit zum normalen Gehen macht den Unterschied. Die Intention beim Gehen ist eine andere als beim schnellen Laufen. Diese Bewegung, bei der unser Gewicht durch unser Sprunggelenk direkt in die Ferse übertragen wird, ermöglicht eine eher vertikale Ausrichtung, so dass die Schwerkraft auf direktem Weg durch unsere Gelenke wirkt. Sobald unsere Geschwindigkeit zunimmt, laufen unsere Zehen uns voraus und unsere Körperachse befindet sich in einer leichten Schräglage, selbst wenn sie aufgerichtet ist. Die Belastung für die Gelenke verändert sich im Gegensatz zur vertikalen Integration. Nordic Walking ist deshalb eine gute Alternative, da der Fuß hierbei immer noch über die Ferse abrollt. Allerdings müssen wir bei allen Geh- und Laufarten auf die Integration unserer Achse achten. Wir erinnern uns: Unser Steißbein zieht nach unten, während sich unser Bauchnabel sanft in Richtung Wirbelsäule nach hinten, sich das Brustbein sanft nach vorne und das Hinterhaupt nach oben bewegt. Es lohnt sich immer, darauf zu achten – unabhängig von dem, was wir gerade tun.

BEOBACHTUNGEN AUS DEM ALLTAG MIT KINDERN

An dieser Stelle möchte ich einige weitere Alltagsbeobachtungen teilen, die meiner Meinung nach unter dem Aspekt gesunder Körper- und Bewegungsentwicklung Aufmerksamkeit verdienen. Im Zusammenspiel mit kleinen Kindern schleichen sich häufig unbewusst ungünstige Muster ein, die für die kindliche Entwicklung nachteilige Folgen haben und in Fehlhaltungen resultieren können.

Beispiel Frühes Positionieren

Aufgepasst bei der Lagerung des jungen Lebens! Eine Babysitzschale ist ausschließlich zum sicheren Transportieren des Kindes im Auto gedacht und nicht für den weiteren längeren Aufenthalt darin.

Das Becken mit seinen Gelenken (Wirbelsäule und Beine) ist noch unreif und wird in dieser Sitzschale gekippt angeschnallt gehalten. Die noch reifenden Muskelzüge des Psoas und aller weiterer Becken- Bein-, Rumpf-Verbinder haben in dieser vorgegebenen Position die Tendenz, sich schon sehr früh zu verkürzen. Die Faszien-Züge im Rücken sind durch die embryonale Beugung schon kräftiger als jene auf der Vorderseite und brauchen unbedingt ein Gegengewicht als ein ständiges Wiederholen des primären Musters.

Ungünstig sind die Kinderwagen, die eine Vorrichtung für entsprechende Sitzschalen haben, so dass das Kind möglichst bequem für die Eltern lange diese Haltung einnimmt. Ich spreche hier ganz bewusst von Haltung, denn die kindliche Bewegungsfreiheit wird hier erheblich eingeschränkt. Wenn das Kind im Sitz angeschnallt über holprige Wege geschoben wird, ist sein ganzes Faszien-System damit beschäftigt, den kleinen, noch unreifen Körper irgendwie stabil zu halten. Ein eher fester Muskeltonus im Becken-Bein-Bereich bildet sich heraus. Ein Hohlkreuz mit entsprechenden Folgen für den Rücken ist so vorprogrammiert, da sich der Psoas verkürzt.

Auch die Bauchlage ist in der Anfangszeit wichtig, da unsere Körpervorderseite in der Entwicklung dem Rücken an Längenausrichtung hinterherhinkt. Über Wochen haben wir uns im Mutterleib zusammengefaltet. Danach wird es Zeit, dass sich unsere Körpervorderseite gut ausdehnt und in ganzer Länge kräftigt.

Beispiel Lauf-Lern-Hilfe

Welche Folgen zu frühes Üben mit noch unausgereiften Gelenken hat, können wir sehr gut am Beispiel der Lauf-Lern-Hilfen beobachten. Eine Lauf-Lern-Hilfe ist ein Gestell auf Rädern, in dem sich das Kind halbwegs sitzend schon früh alleine fortbewegen kann. Mit diesem rollenden Untergestell soll es angeblich laufen lernen. Zum Laufen brauchen wir allerdings den ganzen Fuß mit einem gut ausgebildeten Sprunggelenk. Ein Zeichen von Reife eines Gelenkes ist die adäquate Flexibilität, also einen vollen Bewegungsradius bei gleichzeitiger Stabilität. Schauen wir uns an, was mit dem Kind geschieht, das in dem Gehgestell sitzend laufen lernen soll: Das Kind tänzelt auf dem Vorderfuß. Es nutzt ausschließlich die Zehen zum Abstoßen nach vorne, da von ihnen der größte Kraftschub kommt. Aus diesen Kindern wird später möglicherweise ein Zehenläufer.

Wenn Kinder in diesem frühen Stadium ihrer Fußentwicklung nicht richtig laufen lernen, hat das zwei oft unbeachtete Konsequenzen: Ihr Fußgelenk wird nicht an Stabilität und Reife gewinnen können; durch die frühe Positionierung und Fixierung des Fußes im Fußgelenk verkürzt sich ihre Achillessehne. Das Gelenk verliert seine so wichtige Elastizität. Die ischiocrurale Muskulatur an der Rückseite der Oberschenkel ist verkürzt und schon bald können Rückenschmerzen und eine Reihe anderer Bewegungs- und damit auch Funktionsstörungen auftreten – von einer emotionalen Instabilität ganz zu schweigen. Da uns nur das Abrollen von der Ferse beim Gehen Sicherheit und Stabilität gibt, ist der Zehenläufer energetisch betrachtet oft ein Hans-guck-in-die-Luft ohne festem Standpunkt.

Beispiel Gehen an der Hand eines Erwachsenen

Es ist spannend zuzuschauen, wie Kinder Laufen lernen oder wie sie an der Hand eines Erwachsenen den Größenunterschied managen. Sie strecken dabei einen Arm oder beide Arme nach oben oder sie werden durch die entgegengereichte Hand des Erwachsenen nach oben gezogen. Auch hier lassen sich Muster ableiten, die später zu Haltungen werden können. Wenn sich die Hand des Kindes soweit über seinem Kopf befindet, laufen ihm sozusagen die Füße voraus. Seine Körperachse lehnt sich dabei leicht nach hinten. Gleichzeitig wird der Arm je nach Zugkraft ein wenig aus dem Schultergelenk herausgezogen. Wenn die Füße uns buchstäblich vorauslaufen, kann schnell die Furcht aufkommen, nach hinten zu fallen. Obwohl das Kind bei dieser Art zu laufen den unteren Rücken nach vorne zieht, wird es nicht fallen, solange es sich an der über ihm befindlichen Hand festhalten kann. Das Ungleichgewicht wird durch die Faszien-Züge kompensiert, in dem sie die Schultern nach hinten und den Kopf nach vorne bringen. So entstehen neue fasziale Muster, die sich später besonders in Stresssituationen zeigen und zu Verspannungen führen können.

Beispiel Nach-vorne-schwingen

Ein weiteres Bild ist uns vertraut: Ein Erwachsener zieht ein Kind an den Händen oder Unterarmen nach oben oder schwingt es durch die Luft. Das ist ein gefährliches Vergnügen, denn es kann zu einer Dislokation führen. Besser wäre es, unter den Schultern zu umfassen, um den kleinen Körper in die Luft zu schwingen.

Beispiel Das Stillen

Durch die Stimulierung des Mundbereichs entwickeln Kinder die Fähigkeit, ihre Bewegungen gezielt zu initiieren. Auslöser für jedwede Bewegung durch den Raum ist dabei anfänglich der Mund. Die Nerven des Mundraumes entspringen einer Ansammlung von Hirnnerven, die noch während der embryonalen Phase als zweite nach dem Vestibularsystem myelinieren, sich also zu isolieren und damit funktionsfähig zu machen. Auf Ultraschallbildern ist immer wieder zu sehen, wie das heranwachsende Wesen mit seinen Fingern den Mundbereich über Berührung oder sogar Daumen-Nuckeln stimuliert und so künftige Aktivität dieses Bereichs vorbereitet.[122] Beginnt das Kind seine Bewegungen in den Raum hinein vom Mund her, vertieft es das Gefühl für seine Achse. Vom Kopf bis zum Steiß entsteht eine geschmeidige Drehbewegung. Durch die Stimulation des Mundes bzw. der Lippen zeigt sich die gesamte Länge der Wirbelsäule in einer koordinierten Rotation, und zwar Wirbel für Wirbel. So bleiben die Nackenmuskeln geschmeidig.

Wenn diese Bewegung unvollständig ist, ist die Integration des Kopfes in die Wirbelsäule gehemmt. Alle Drehungen des Kopfes werden dann vorwiegend durch die Nackenmuskeln ausgeführt und nicht durch den Mund und das Gesicht. Wenn die Halsmuskeln mit unnötiger Spannung arbeiten müssen, erscheint der Kopf isoliert. Erfolgt die Nahrungsaufnahme des Kindes durch die Flasche, passiert genau dies: Die Saug- und Nuckelbewegung erfordert eine erhöhte Anspannung der Lippen- und Nackenmuskulatur.[123]

Stillen vermittelt dem Säugling neben der idealen Nahrung auch Nähe und Geborgenheit. Dazu kommt noch der motorische Aspekt: Beim Stillen wiegt der Kopf am Unterkiefer. Diese Bewegung zieht sich sequenziell von oben nach unten durch die Wirbelsäule, so dass die einzelnen Wirbelkörper der Länge nach integriert werden. Die gesamte Wirbelsäule kann sich zunehmend entspannen.[124]

Besonders Kinder, die die Flasche bekommen, können von sanften Berührungsimpulsen um den Mundbereich herum profitieren. Als Erwachsene sollten wir darauf achten, dass wir immer wieder unsere Lippen entspannen und Drehbewegungen des Kopfes von diesen her einleiten. Dadurch wird die Nackenmuskulatur entlastet und die Bewegungsqualität des Kopfes verbessert sich.

Ich möchte keineswegs für einen übervorsichtigen Umgang mit Kindern plädieren. Ich halte es lediglich für erforderlich, in einer Gesellschaft, in der Gelenkschmerzen sehr verbreitet sind, den Blick zu weiten. Mein innerstes Anliegen ist es, dass die Zusammenhänge zwischen Bewegung, Sinneswahrnehmung, Verhaltens-, Gefühls- und Denkmustern deutlich nachvollziehbar werden. Die Bewegungsmuster, die wir in der Kindheit entwickeln, bilden das Fundament fürs Leben und spiegeln sich in den vertikalen Bewegungen und Ausrichtungen unseres Erwachsenseins. Mit den Worten Moshe Feldenkrais':

„Wenn ich weiß, was ich tue, kann ich tun, was ich möchte." [125]

ZIELE VON FASZIEN-ROTATION NACH EIBICH

- *Entlastung von Haltungsschäden*
- *Kräftigung und Längen der Muskulatur (gute Tonisierung)*
- *Ökonomisierung der Gelenkbewegungen*
- *Stabilisierung der Gelenke*
- *Entrollen des Muskel-Bindegewebes und der Faszien*
- *Die Knochen finden zu ihrem ursprünglichen Platz*
- *Verstehen des Tragesystems im Unterschied zum Halteapparat*
- *Befreiung von Verspannungen und Blockaden*
- *Erweiterung des Bewegungsradius'*
- *Harmonisierung der inneren Organe*
- *Verbesserung der Körpersensibilität*
- *Erhöhte Körperwahrnehmung*
- *Entwicklung einer entspannten und gelassenen inneren Grundstimmung*
- *Erlernen einer lebendigen und gesunden Körperausrichtung*
- *Gesteigerte Flexibilität und Vitalität*
- *Selbstregulation des Energieflusses und der Atmung*
- *Harmonisches Gleichgewicht aller körperlichen Funktionen*
- *Interesse am einfachen anatomischen Verständnis*
- *Entwicklung von Kompetenz und dem individuellen Selbstausdruck*
- *Verantwortungsvoller und bewusster Umgang mit Gesundheit*
- *Integration der Prinzipien der Faszien-Rotation in den Alltag und den Sport*

WEITE UND LÄNGE STATT ENGE: DIE BEWEGUNGSSEQUENZEN

BEVOR SIE BEGINNEN

Bei den praktischen Anwendungen der Faszien-Rotation habe ich ganz bewusst den Begriff „Bewegungssequenzen" gewählt. Denn einerseits handelt es sich nicht um isolierte Positionen und Haltungen; andererseits ist es wichtig, die jeweils beschriebene Abfolge von Bewegungsimpulsen genau einzuhalten, um die Spannkräfte schonend aufeinander abzustimmen und effektiv wirken zu lassen.

Die knapp 40 Bewegungssequenzen bilden eine ganze Palette von Interventionsmöglichkeiten mit unterschiedlichen Abstufungen und Zielrichtungen.
Bei Faszien-Rotation gehe ich ganz speziell auf das individuelle Anliegen meines Gegenübers ein und nutze meinen Körper als Resonanzkörper. Abhängig von Anliegen, Fragestellung und der körperlichen sowie psycho-emotionalen Momentaufnahme des Klienten entscheide ich mich für eine bestimmte Sequenz oder nur Teile daraus. Dabei gibt es Bewegungssequenzen, die ich als Basis bevorzuge und häufiger als andere einsetze. Zudem passen bestimmte Sequenzen besser zu bestimmten Menschen und ihren Mustern; nicht jeder ist beispielsweise in der Lage, so hochkomplexe Abfolgen wie den „Samurai" oder die "Beinwiege" auszuführen. Doch das ist auch gar nicht nötig. Denn es kommt im Wesentlichen nicht auf die Form der Bewegung, sondern auf die darunter wirkenden Prinzipien an. Ich richte bei Faszien-Rotation mein Augenmerk auf die innere Ausführung und auf das Sichtbarwerden möglicher blockierender oder hemmender Muster.

Es ist immer wieder überraschend, wie anstrengend eine Bewegungssequenz in der Ausführung sein kann, die zunächst simpel erschien. Durch die Rotationen und die Spannkräfte hat jede einzelne Bewegungssequenz eine kräftigende Wirkung. Selbst sanfte Impulse sind unmittelbar spürbar. Ich achte dabei auf Besonderheiten der Atmung, der Gelenkstellungen, auf mögliche unterschiedliche Zugspannungen, die Gewichtsverteilung, Verdrehungen, Verkürzungen und Richtungen. Daraus leite ich individuelle korrigierende Impulse ab, die sich natürlich immer nach den spezifischen Möglichkeiten der jeweiligen Person richten.

SANFTES AUFBAUEN UND ABBAUEN

Da wir es in jeder einzelnen Bewegungssequenz mit teilweise enormen Spannkräften zu tun haben, ist es ratsam, diese sanft auf- und auch wieder abzubauen. Stellen wir uns nur einmal vor, wie wir ein Gummiband fast bis zum Äußersten spannen. Geschieht dies zu schnell, kann es zerreißen. Und lassen wir es unter extremer Spannung einfach los, kann es äußerst unangenehm zurückschnellen. Ähnlich verhält es sich in unserem Körper: Gehen wir bei den Bewegungssequenzen zu schnell und zu unachtsam vor, kann das widrige Folgen haben. Um Verletzungen zu vermeiden, bitte ich Sie eindringlich, Spannkraft langsam aufzubauen und Ihre Energie so einzuteilen, dass Sie die Spannkräfte wieder sanft auflösen können. Dann ist das Arbeiten innerhalb der Spannkräfte – wie bei allen anderen Bewegungsmethoden auch – gefahrlos.

FOTOS SIND NUR MOMENTAUFNAHMEN

Die Rotationen und die Ausdehnung in alle Raumrichtungen führen zu den Spannkräften, die wir benötigen, um nachhaltige Veränderungen im Körper aufzubauen. Dies ist ein kontinuierlicher Prozess, an dessen Ende das sanfte Auflösen dieser Spannkräfte steht. Bei dieser Arbeit gibt es kein Anhalten, kein „Stopp, weiter geht´s nicht". Insofern bieten die Fotos, die ich den folgenden Sequenzen zur Bebilderung beigefügt habe, lediglich Hinweise: Sie sind nicht mehr und nicht weniger als Momentaufnahmen aus einem Bewegungsprozess.

ZUERST EINFACH, DANN KOMPLEXER

Da die einzelnen Bewegungssequenzen zum Teil sehr komplex sind, arbeiten wir zunächst in vereinfachter Form. Anschließend setzen wir die einzelnen Elemente zusammen und verfeinern dann die Bewegungsabläufe. Je weiter wir fortschreiten und je häufiger wir üben, desto intensiver entwickelt der Körper ein Gefühl für die neue Ausrichtung. Die Bewegungsimpulse setzen sich immer aus dem Bewegungsansatz und der Bewegungsrichtung zusammen, die zum jeweiligen Ansatz gehört. Je erfahrener wir in jeder einzelnen Bewegungssequenz von Faszien-Rotation werden, desto besser lassen sich die einzelnen Sequenzen in immer neue Abfolgen zu einem langen Bewegungsfluss verbinden. Sind die Informationen, die wir dem Körper geben, schlüssig nachvollziehbar, richtet sich der Körper klarer aus. In gleichem Maße wird das Gesamtbild harmonischer und der Geist entspannt sich.

Nun wünsche ich viel Spaß beim Einstimmen in die Arbeit und einen anregenden Prozess.

DIE BEWEGUNGSSEQUENZEN

- *Die Achse*
- *Kräftigung der Front*
- *Körperwelle*
- *Trapez-Längen*
- *Rückenbogen*
- *Thekla*
- *Schulterschaufel*
- *Sternengruß gedreht*
- *Stabilisierung der Achse*
  parallel zur Wand
  in der Diagonalen/Schräglage
  frei im Raum
- *Waage*
  diagonal
  Spielbein
- *Flamingo*
- *Himmelsrad*
- *Hingabe*
  (als Vorbereitung zur Herzöffnung)
- *Herzöffnung*
  mit Stuhl, Fensterbank ...
  auf der Erde
- *Himmelsbogen*
- *Virtuelle Kraftimpulse der Arme*
- *Baum*
- *Weite*
- *Sitzbein-Schaukel*
- *Energiekelch*
- *Gottesanbeterin*
- *Anmut*
- *Tiger*
- *Amelie*
- *Flexeck*
- *Kraftecke*
- *Dreieck*
- *Samurai*
- *Beinwiege*
- *Sphinx*
- *Längen des Oberschenkels*
- *Psoas-Längung*
- *Beckenschaukel*
- *Kräftigung der Rückenmuskulatur*
- *Stabilisierung des Beckens*

WEITE UND LÄNGE STATT ENGE - IMMER!

DIE ACHSE – Vertikale Spannkraft, Längung des unteren Rückens

Vertikale Ausrichtungslinie (siehe auch Seite 116)
Innenrotation der Fersen
Die Hände ziehen hinter dem Körper nach unten
> die Schultern sinken nach unten

Die Hände (Handrücken) bewegen sich zudem noch kraftvoll nach vorne – gegen die Oberschenkel
> das Brustbein bewegt sich nach vorne

Wichtig: Das Steißbein bleibt unten!!
Ruhiges Atmen
> auf die ACHSE achten
> gleichmäßiges Ausdehnen des Körpers in alle Richtungen!!

KRÄFTIGUNG DER FRONT

Vertikale Ausrichtungslinie
Innenrotation der Fersen
Einen Arm nach oben ausstrecken und ihn kraftvoll virtuell über die Weite nach unten ziehen
Den anderen Arm nach unten ausstrecken und ihn kraftvoll virtuell über die Weite nach oben ziehen
> es entstehen Kraft und Weite im Brustkorb und den Flanken sowie Spannkraft im Bauchbereich, die die Körpermitte stabilisiert!
> die Schultern bleiben unten!!

zur anderen Seite wiederholen

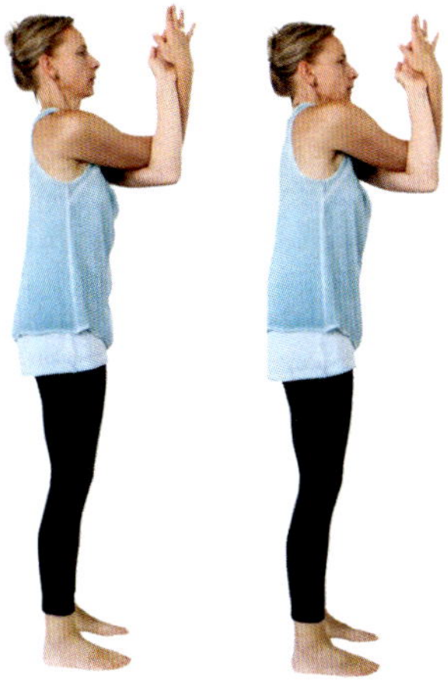

TRAPEZ-LÄNGEN (im Stehen und im Sitzen)

Vertikale Ausrichtungslinie
Innenrotation der Fersen
Die Ellenbogen überkreuzen sich vor dem Körper
Die Unterarme umschlingen sich (wenn möglich)
Die Ellenbogen ziehen weit nach vorne!
Die Unterarme im 90° Winkel nach vorne nehmen
Das Hinterhaupt und die Fingerspitzen zeigen nach oben
Das Steißbein und die Füße bewegen sich nach unten (Fersen nach innen)
Die Hände bewegen sich kraftvoll gegeneinander (nach außen)
> Dehnung des Trapezes

Jetzt bewegen sich die Schultern kräftig nach oben
> Kontraktion des Trapezes

Der Nacken bleibt frei und entspannt
> gleichmäßig atmen und das Gesicht entspannen

Diese Bewegungssequenz äußerst sanft auflösen, da eine relativ hohe Spannkraft entsteht!

Vorstellung von Raum / Weite / Kraft

zur anderen Seite wiederholen

Alternative bei Beschwerdebildern im Schulterbereich

Vertikale Ausrichtungslinie
Innenrotation der Fersen
Die Hände überkreuzen sich vor dem Körper (maximal auf Schulterhöhe!), dabei bewegen sich die Handrücken gegeneinander
oder
Mit einem Tuch in den Händen: Die Ellenbogen überkreuzen sich, die Hände ziehen nach außen (das Tuch wird lang)

Wenn möglich, jetzt die Schultern kraftvoll nach oben bewegen

KÖRPERWELLE

Füße parallel, hüftbreit
Die Arme in den Ellenbogen beugen ≥ 90°, die Hände sind in Verlängerung der Unterarme (KEIN Abwinkeln!!) und die Fingerspitze zeigen zum Himmel
Die Ellenbogen zeigen nach unten und ziehen weg vom Körper in den Raum hinein
> die Schultern öffnen sich

Innenrotation der Fersen
Dabei ziehen die Ellenbogen im weiten Bogen nach vorne - max. schulterbreit (die Handinnenflächen schauen sich an)
> das Steißbein bewegt sich nach unten/vorne, das Brustbein bewegt sich sanft nach hinten
> dabei ausatmen!
> die vorderen Faszienzüge spannen sich: Schambein und Brustbein nähern sich einander an

Außenrotation der Fersen
jetzt ziehen die Ellenbogen im weiten Bogen(!) über außen nach hinten
(Fingerspitzen zeigen weiterhin zum Himmel, Ellenbogen zeigen weiterhin nach unten)
> das Brustbein bewegt sich sanft nach vorne
> dabei einatmen!
> die hinteren Faszienzüge spannen sich: Steißbein und Hinterhaupt nähern sich einander an

Abwechselnd die Innenrotation und Außenrotation in der jeweiligen Kombination mit den Armen ausführen

Es entsteht eine Wellenbewegung

> > In der Achse bleiben!! (KEIN Beugen im Becken!!!)

KÖRPERWELLE MIT KRAFT – mehr Kraft braucht mehr Weite!

(Wie Körperwelle links)

zusätzlich bei der Armbewegung Kraft einsetzen
> den (Luft-)Raum vor dem Körper über die Bewegung der Unterarme nach vorne komprimieren
> den (Luft-)Raum hinter dem Körper über die Rückbewegung der Arme komprimieren

Wichtig: erhöhter Kraftaufwand erfordert besondere Achtsamkeit in Bezug auf die Öffnung der Gelenke!

RÜCKENBOGEN - Ausrichtung & Feinjustierung des Beckens

Die Füße parallel und weiter als hüftbreit aufstellen
Die Zehen befinden sich auf einer Linie
Die Knie sind leicht gebeugt
Vertikale Ausrichtungslinie
Außenrotation der Fersen
Die Sitzbeinhöcker bewegen sich nach hinten/oben/außen
> Dehnung des Beckenbodenmuskels!

Das Brustbein bewegt sich nach vorne und führt nach vorne/unten in den Raum hinein

Je nach Beweglichkeit:
- bewegen sich die Außenseite der Arme kraftvoll gegen die Oberschenkel
oder
- die Ellenbogen werden von innen kraftvoll gegen die Kniegelenke bewegt, die Unterarme dabei parallel zur Erde nehmen, die Handinnenflächen gegeneinander legen
oder
- die Handrücken kraftvoll gegen die Unterschenkel bewegen

Die Fersen, Arme und Schultern bewegen sich nach außen
Das Brustbein zieht nach vorne/unten
Das Steißbein zieht zeitgleich nach hinten/oben
> daraus entsteht eine Bogenspannung! (und kein Hohlkreuz)

Der Kopf bleibt in der Ausrichtungslinie der Wirbelsäule
Die Hüftgelenke auf einer Ebene ausrichten (Wasserwaage)!
Die Sitzbeinhöcker auf einer Linie ausrichten!
> das Becken kann sich aktiv ausrichten!!

Der Beckenbodenmuskel wird jetzt aktiv kontrahiert!
> die Beckenbodenmuskulatur wird gelängt

Vorstellung von Länge - Stabilität - Weite Ausdehnung in alle Raumrichtungen!

THEKLA

Die Beine sind weit gegrätscht
Die Füße stehen parallel und die Zehen auf einer Linie
Die Knie sind gebeugt
Vertikale Ausrichtungslinie
Außenrotation der Fersen
Die Sitzbeinhöcker bewegen sich nach hinten/oben/außen
> Dehnung des Beckenbodenmuskels!

Das Brustbein bewegt sich nach vorne und führt nach vorne/unten in den Raum hinein
Die Hände werden schulterbreit, parallel, nahe am Körper auf den Boden gelegt
Die Fingerspitzen befinden sich auf einer Linie
Rotation der Hände
> das Brustbein bewegt sich sanft nach vorne

Wichtig: Das Körpergewicht lastet nicht auf den Händen!!

Das Brustbein zieht nach vorne/unten
Das Steißbein zieht zeitgleich nach hinten/oben
> daraus entsteht eine Bogenspannung! (und kein Hohlkreuz)

Der Kopf bleibt in der Ausrichtungslinie der Wirbelsäule
Die Hüftgelenke auf einer Ebene ausrichten (Wasserwaage)!
Die Sitzbeinhöcker auf einer Linie ausrichten!
> das Becken kann sich aktiv ausrichten!!

Der Beckenbodenmuskel wird jetzt aktiv kontrahiert!
> die Beckenbodenmuskulatur wird gelängt

Vorstellung von Länge - Stabilität - Weite Ausdehnung in alle Raumrichtungen!

SCHULTERSCHAUFEL

Vertikale Ausrichtungslinie
Innenrotation der Fersen
Einen Arm lang nach vorne ausstrecken (etwas tiefer als Schulterhöhe)
Das Handgelenk bleibt ausgerichtet (die Hand in Verlängerung des Unterarms gestreckt), die Fingerspitzen zeigen nach vorne
Die Schulter zieht den Arm nach hinten (Achtung: Die Schulter bleibt dabei unten - NICHT in Richtung Ohr anheben!)
> der Ellenbogen beugt sich auf dem Weg nach hinten, sobald er auf Höhe des Körpers/der Flanke ist

Der Arm zieht weiter nach hinten, nahe am Körper entlang - die Fingerspitzen zeigen dabei so lang wie möglich nach vorne
Der Unterarm öffnet sich über die Seite nach hinten
> die Fingerspritzen ziehen lang nach hinten

Die Schulter initiiert die Vorwärtsbewegung des Armes (über die Seite nach vorne)
Der Arm bleibt dabei gestreckt, bis in die Ausgangssituation hinein

Einige Male mit einer Seite wiederholen, dann wechseln

Für Fortgeschrittene:

Gleichzeitig - zeitversetzt - mit beiden Armen arbeiten:
eine Schaufel-Bewegung entsteht

STERNENGRUSS - WIRBELSÄULENTWIST

Die Fersen stehen im 90°-Winkel auf einer Linie (Abstand zueinander je nach Körperlänge und Flexibilität/Stabilität)
Das hintere Knie wird leicht gebeugt
Das vordere Knie beugen, so dass der Winkel zwischen Unterschenkel und Boden 90° beträgt

> Achtung: vorderes Knie bewegt sich nach hinten: so bleibt der Meniskus geschont!

Die hintere Hüfte bewegt sich nach hinten
Innenrotation der Fersen
Vertikale Integration der Wirbelsäule
> Wichtig: Die Körpermitte muss aufrecht bleiben!!

Der vordere Arm (Rückseite) gleitet nach unten und bewegt sich kraftvoll gegen das vordere Knie
> das Brustbein bewegt sich sanft nach vorne

Der obere Arm richtet sich gegen die Schwerkraft auf und zeigt nach oben
Die Hand befindet sich in Verlängerung des Unterarmes auf einer Linie
Den oberen Ellenbogen mit einer leicht angedeuteten Innendrehung vor die Schulter bringen
> die Schulter öffnet und senkt sich

Über die Fingerspitzen hinausblicken: Integration des Kopfes in die Wirbelsäule
Die Fingerspitzen ziehen voneinander weg

Wichtig: Zur Stabilisierung des Beckens: Das Steißbein aktiv nach unten/vorne und den Bauchnabel nach hinten bewegen!!
Die Fersen rotieren die ganze Zeit nach innen!

Tipp für die vordere Hüfte: Die Idee ist, dass vordere Knie möchte sich in Richtung Hüftgelenk bewegen!
> das Hüftgelenk öffnet sich

zur anderen Seite wiederholen

STERNENGRUSS GEDREHT – Wirbelsäulentwist gedreht

Sternengruß gedreht – Wirbelsäulentwist gedreht
Die Fersen stehen im 90°-Winkel auf einer Linie (Abstand zueinander je nach Körperlänge und Flexibilität/Stabilität)
Das hintere Knie wird leicht gebeugt
Das vordere Knie beugen, so dass der Winkel zwischen Unterschenkel und Boden 90° beträgt

> Achtung: vorderes Knie bewegt sich nach hinten: so bleibt der Meniskus geschont!

Die hintere Hüfte bewegt sich nach hinten
Innenrotation der Fersen
Vertikale Integration der Wirbelsäule

> Wichtig: Die Körpermitte muss aufrecht bleiben!!

Der vordere Arm (Rückseite) gleitet nach unten und bewegt sich durch die Beine nach hinten
Der obere Arm dreht sich über oben nach hinten/unten und greift hinter dem Körper nach der unteren Hand

Der Blick geht seitlich nach oben: Integration des Kopfes in die Wirbelsäule
Aufrichtung und Öffnung des Oberkörpers
Die Hände ziehen auseinander
> Rotation im Schultergelenk

Wichtig: Zur Stabilisierung des Beckens: Das Steißbein aktiv nach unten/vorne und den Bauchnabel nach hinten bewegen!!
Die Fersen rotieren die ganze Zeit nach innen!

Tipp für die vordere Hüfte: Die Idee ist, dass vordere Knie möchte sich in Richtung Hüftgelenk bewegen!

> das Hüftgelenk öffnet sich

zur anderen Seite wiederholen

STABILISIERUNG DER ACHSE – mit Rotation der Hände an der Wand

a) parallel zur Wand

Im Unterarmlängen-Abstand und mit dem Blick zur Wand stehen
Vertikale Ausrichtungslinie
Innenrotation der Fersen
Die Hände schulterbreit, parallel an die Wand auflegen (die Fingerspitzen max. auf Schulterhöhe)
Rotation der Hände
> das Brustbein bewegt sich sanft nach vorne
Die Kraft aus dem Brustbein über die Rippenbögen, die Brustwirbelsäule nach oben lenken
> auf die Achse achten!

b) in der Diagonalen / Schräglage

Mit dem Blick zur Wand stehen, je nach Flexibilität größerer Abstand
Vertikale Ausrichtungslinie
Innenrotation der Fersen
Die Hände tiefer als die Schultern an die Wand auflegen, parallel, schulterbreit - die Höhe passt sich der diagonalen Ausrichtung im Raum an!
Rotation der Hände
> die Schultergelenke öffnen sich
In die Wand hineinlehnen: Das Gewicht verlagern > den Winkel im Ellenbogengelenk verändern!
> Achtung: Die Achse wahren!!!!
> Kraft in den Armen

c) frei im Raum

Vertikale Ausrichtungslinie
Innenrotation der Fersen
Die Hände schulterbreit, parallel an eine imaginäre Wand auflegen (die Fingerspitzen max. auf Schulterhöhe)
Rotation der Hände
> das Brustbein bewegt sich sanft nach vorne
Die Kraft aus dem Brustbein über die Rippenbögen, die Brustwirbelsäule nach oben lenken

> auf die Achse achten!

WAAGE– Kräftigung und Längen der ischiocruralen Muskulatur

a) diagonal

Vertikale Ausrichtungslinie
Außenrotation der Fersen
Die Knie entriegeln (oder beugen)
Das Brustbein führt die Bewegung nach vorne/unten
Die Hände parallel, schulterbreit auf die Erde legen; relativ nahe zu den Füßen
Die Ellenbogen entriegeln
Rotation der Hände
> die Schultern öffnen sich
> der Rücken wird lang, das Brustbein bewegt sich nach unten/vorn:
> > Bogenspannung

Ein Bein anheben (Fuß strecken!): Spielbein
Das Spielbein soweit heben (max. Hüfthöhe), dass beide Hüftgelenke in Balance sind (Waagschale)

Das Knie des Standbeins bleibt entriegelt
Der Sitzbeinhöcker des Standbeins zieht nach hinten!!
> das Hüftgelenk (Standbein) öffnet sich!

Möglichkeit:
Den diagonalen Arm zur Seite anheben (Schulter öffnen!)
Der Kopf ist in Verlängerung der Wirbelsäule ausgerichtet
> Das Becken bleibt dabei ausgerichtet und der Rücken lang!!

zur anderen Seite wiederholen

b) Spielbein

Einen Fuß gerade aufstellen (Zehen zeigen nach vorne), das Knie über den Fuß gut ausrichten
Die Hände parallel, schulterbreit im gleichen Abstand zum Standbein auf den Boden legen (gleichschenkliges Dreieck!)
Die Ellenbogen entriegeln
Das Gewicht nach vorne verlagern: Die Schultern über die Hände bringen
Rotation der Hände
> die Schultern öffnen sich
> der Rücken wird lang, das Brustbein bewegt sich nach unten/vorn:
> > Bogenspannung

Das Spielbein soweit heben (max. Hüfthöhe), dass beide Hüftgelenke in Balance sind (Waagschale)

Das Knie des Standbeins bleibt entriegelt
Der Sitzbeinhöcker des Standbeins zieht nach hinten!!
> das Hüftgelenk (Standbein) öffnet sich!

Den Fuß des Spielbeins virtuell kraftvoll nach unten bewegen (die Hüfte bleibt oben!)
> das Öffnen des Hüftgelenkes (Standbein) wird verstärkt!
Das Becken bleibt dabei ausgerichtet und der Rücken lang!!

zur anderen Seite wiederholen

FLAMINGO

Vertikale Ausrichtungslinie
Außenrotation der Fersen
Die Knie entriegeln (oder beugen)
Das Brustbein führt die Bewegung nach vorne/unten
Die Hände parallel, schulterbreit auf die Erde legen; relativ nahe zu den Füße
Die Ellenbogen entriegeln
Rotation der Hände
> die Schultern öffnen sich
> der Rücken wird lang, das Brustbein bewegt sich nach unten/vorn:
> > Bogenspannung

Ein Bein anheben (Fuß strecken!): Spielbein
Das Spielbein soweit heben (max. Hüfthöhe), dass beide Hüftgelenke in Balance sind (Waagschale)

Das Knie des Standbeins bleibt entriegelt
Der Sitzbeinhöcker des Standbeins zieht nach hinten!!
> das Hüftgelenk (Standbein) öffnet sich!
> Stabilität im Becken!

Die Hände vom Boden lösen
Der Bauchnabel bewegt sich sanft in Richtung Wirbelsäule
Die Hände falten, die Zeigefinger bleiben ausgestreckt, die Hände zeigen nach vorne
Die Handinnenflächen bewegen sich kraftvoll gegeneinander
Die Ellenbogen bewegen sich sanft nach unten/innen
> die Schultern öffnen sich
> das Brustbein bewegt sich nach vorne

Achtung: auf die Stabilität des Beckens achten (beide Hüftgelenke auf eine Höhe bringen, Standbein-Sitzbeinhöcker nach hinten bewegen!!)
Der Spielbein-Fuß streckt sich nach hinten, die Zeigefinger ziehen nach vorne
Der Blick geht über die Hände hinaus – die Schultern bleiben geöffnet

zur anderen Seite wiederholen

HIMMELSRAD

Einen Fuß gerade aufstellen (die Zehen zeigen nach vorne), das Knie gut über dem Fuß ausrichten
Die Hand der gleichen Seite möglichst in Linie mit dem Fuß aufsetzen

Das Spielbein heben, den Fuß strecken
Den freien Arm zur Seite ausstrecken
Über die Fingerspitzen hinausblicken: Integration des Kopfes in die Wirbelsäule

Die gesamte „Spiel"-Seite von der Hüfte her öffnen „aufklappen wie ein Buch" - bis der Arm möglichst senkrecht nach oben zeigt (je nach Flexibilität)
> der Blick folgt der Bewegung
> Drehung des Kopfes

Die Hand befindet sich in Verlängerung des Unterarmes auf einer Linie
Den oberen Ellenbogen mit einer leicht angedeuteten Innendrehung vor die Schulter bringen
> die Schulter öffnet sich (gegen die Schwerkraft)
> Achtung: die Achse wahren!!! (Keine Überstreckung im Oberkörper – Becken !!)

Aufrichtung über die Länge der Arme
Über die obere Hand nach oben schauen
Spielbein-Fuß und obere Hand (Fingerspitzen) ziehen in ganzer Länge über oben und öffnen über die gesamte Seite (ziehen wie ein Rad in den Raum hinein)
Die Fingerspitzen der oberen Hand ziehen kräftig nach oben und im weiten Bogen in die Seite hinein

zur anderen Seite wiederholen

HERZÖFFNUNG

a) Herzöffnung (mit Stuhl, Heizung, Fensterbank usw.) in drei Phasen

1. Phase

Mit dem Blick zum Stuhl/Fensterbank etc. stehen - Oberkörperlängen-Abstand
Vertikale Ausrichtungslinie
Außenrotation der Fersen
Die Knie entriegeln (oder beugen)
Das Brustbein führt die Bewegung nach vorne/unten
Die Hände parallel, schulterbreit auf den Stuhl/die Fensterbank legen (die Daumen an die Stuhlkante)
Die Ellenbogen entriegeln
Rotation der Hände (Schultern öffnen)
> Der Rücken wird lang, das Brustbein öffnet sich nach vorne/unten
Das Steißbein nach hinten/oben bewegen
> > Bogenspannung

Die Arme und das Brustbein schmelzen in der Rotation nach unten
> Der Oberkörper sinkt sanft nach unten

Den Oberkörper von den Händen aus nach hinten (in Richtung Gesäß) bewegen
> Maximale Distanz zwischen Ohren und Schultern
> Länge der Flanken bis in die kleinen Finger hinein (Intercostal)

2. Phase

Die Arme vom Stuhl/Fensterbank lösen und unterhalb der Kniekehle von hinten gegen die Beine legen
Die Handrücken kraftvoll gegen die Beinrückseite nach vorne bewegen, die Schultern dabei öffnen
> Den Oberkörper etwas aufrichten, das Brustbein öffnen

Die Fersen rotieren immer noch nach außen
> > Bogenspannung

3. Phase

Die Arme hängen lassen: Die Schultern bleiben geöffnet!
Die Füße sind „neutral" - keine Rotation
Das Kinn zur Brust sinken lassen

Erst jetzt die Fersen nach innen rotieren!

Sanft Wirbel für Wirbel in die vertikale Aufrichtungslinie aufrichten
Das Steißbein nach unten bewegen, das Brustbein öffnen

Das Kinn ganz sanft von der Kehle lösen: „Spannungsvakuum"!

Vom Hinterhaupt her aufrichten
> > Vertikale Ausrichtungslinie

HERZÖFFNUNG

b) Herzöffnung auf der Erde in drei Phasen

1. Phase - *Kniend:*

Die Zehen sind hüftbreit, parallel aufgestellt (Zehenstand)
Die Fersen rotieren „in der Luft" nach außen
! das Becken kippt (Flexion)
Die Hände parallel, schulterbreit, nahe an den Knien auf die Erde legen
Rotation der Hände
Die Ellenbogen entspannen
> ***der Schultergürtel öffnet sich***
> ***das Brustbein bewegt sich sanft nach vorne***

Das Becken anheben, während die Fersen nach außen rotieren
Die Knie bleiben entspannt!!!
Das Gewicht des Oberkörpers von den Händen in Richtung Beine schieben
> ***Maximale Distanz zwischen Ohren und Schultern***
> ***Länge der Flanken bis in die kleinen Finger hinein***
> > *Bogenspannung*

2. Phase

Die Arme vom Boden/der Erde lösen und unterhalb der Kniekehle von hinten gegen die Beine legen
Die Handrücken kraftvoll gegen die Beinrückseite nach vorne bewegen, die Schultern dabei öffnen
> ***Den Oberkörper etwas aufrichten, das Brustbein öffnen***
Die Fersen rotieren immer noch nach außen
> > *Bogenspannung*

3. Phase

Die Arme hängen lassen: Die Schultern bleiben geöffnet!
Die Füße sind „neutral" - keine Rotation
Das Kinn zur Brust sinken lassen
Erst jetzt die Fersen nach innen rotieren!
Sanft Wirbel für Wirbel in die vertikale Aufrichtungslinie aufrichten
Das Steißbein nach unten bewegen, das Brustbein öffnen

Das Kinn ganz sanft von der Kehle lösen: „Spannungsvakuum"!

Vom Hinterhaupt her aufrichten
> > *Vertikale Ausrichtungslinie*

HIMMELSBOGEN

Vertikale Ausrichtungslinie
Innenrotation der Fersen
Die Daumen überkreuzen sich vor dem Körper ca. auf Brustbeinhöhe und ziehen kraftvoll auseinander
> das Brustbein bewegt sich sanft nach vorne
> ein Spannkraftbogen baut sich in den Armen auf

Von den Fingerspitzen bewegen sich die Arme über unten, vorne nach oben und ziehen anschließend weiter nach oben/hinten (der Spannkraftbogen bleibt!)
> die Schultern bleiben geöffnet (unten)!!

Das Hinterhaupt bleibt in der Achse: sanft nach oben/hinten bewegen
Das Steißbein bewegt sich nach unten/vorne
> > Bogenspannung !!! KEIN Hohlkreuz !!!
Die Augen verfolgen die Hände, ganz entspannt
> der Kopf folgt der Wirbelsäule
> die Schultern bleiben unten!!!

VIRTUELLE KRAFTIMPULSE DER ARME

Vertikale Ausrichtungslinie
Innenrotation der Fersen
Die Hände auf Brusthöhe ineinander falten, die kleinen Finger gegeneinander lang ausstrecken (sie zeigen nach oben)
> Achtung: die Außenkante der Hände trifft aufeinander, zeigt nach vorne und bleibt geschlossen!
Die Hände in maximaler Distanz vom Brustbein nach vorne ziehen, so dass immer noch die Außenkanten der Hände aneinander liegen
> das Brustbein bewegt sich nach vorne
> die Ellenbogen öffnen sich

Die kleinen nach oben zeigenden Finger führen die Bewegung nach oben, soweit die geöffneten Schultern es zulassen (Scharnier-Effekt!)
> Maximale Distanz: Schultern-Ohren

Reale Kraft:
Die Hände bewegen sich kraftvoll gegeneinander!!

Virtuelle Kraft:
Sagittalebene: Die Hände wollen sich im weiten Bogen kraftvoll nach vorne/unten bewegen

Horizontalebene: Die Ellenbogen wollen sich kraftvoll nach außen (voneinander weg) bewegen

Frontalebene: Die Ellenbogen wollen sich kraftvoll nach unten bewegen

Die realen wie auch die virtuellen Kräfte werden gleichzeitig ausgeführt!!
> > Kraft und Weite im Oberkörper/Arm-Bereich
> > Länge und Stabilität durch die vertikale Integration und die Innenrotation der Fersen!!

Gleichmäßiges Atmen!! Das Kiefergelenk und die Lippen sind möglichst entspannt!

BAUM
Stabilität der Vertikalen auf einem Bein

Vertikale Ausrichtungslinie
Innenrotation der Fersen
Langsam das Gewicht auf ein Bein verlagern; dabei den Fuß des Standbeins tiefer und tiefer in die Erde hineinbewegen = alle Gelenke gut übereinander ausrichten
> die Hüfte steht möglichst über dem Standbein *(nicht ausweichen!!)*
> öffnet das Hüftgelenk und längt den Psoas-Muskel

Die Achse etablieren
Das Spielbein entweder ohne Gewicht ganz leicht neben dem Standbein am Boden absetzen oder
Den Spielbein-Fuß an das Standbein (Höhe Unterschenkel oder Knie) legen: Fuß gegen das Bein bewegen - gleichzeitig das Bein gegen den Fuß bewegen
> Stabilität

Das Steißbein nach unten/vorne bewegen
> Stabilität des Kreuzbeins

Virtuelle Kraftimpulse der Arme (siehe S.156)
> > Kraft und Weite im Oberkörper/Arm-Bereich
> > Länge und Stabilität durch die vertikale Integration und die Innenrotation der Fersen!!

Gleichmäßiges Atmen!! Das Kiefergelenk und die Lippen sind möglichst gelöst!

Raumrichtungen:
- Das Standbein bewegt sich nach unten in die Erde hinein
- Das Spielbein-Knie zeigt in die Diagonale
- Die Arme: virtuelle Kraft in alle 3 Raumrichtungen
- Das Hinterhaupt bewegt sich nach oben ! der Blick ist horizontal

Gleichmäßig atmen und freundlich schauen, die Zehen lang am Boden ausstrecken und den Kiefer entspannen.

zur anderen Seite wiederholen

Variationen für das Spielbein:
Das Spielbein vor oder hinter das Standbein auf den Boden stellen

WEITE

Vertikale Ausrichtungslinie
Innenrotation der Fersen
Die Arme rechts und links neben dem Körper auf Brustbeinhöhe heben (Die Handinnenflächen schauen nach vorne; die Ellenbogen sind entriegelt und befinden sich leicht vor dem Körper)
> beide Hände sind gleichzeitig aus den Augenwinkeln sichtbar

Bewusstwerdung des Kraftflusses/der Kraftlinie (Wurzeln bis in die Brustwirbelsäule und weiter über die Rippenbögen ins Sternum von dort in die Schlüsselbeine bis in die Arme/Hände hinein)
> über die Fingerspitzen hinaus

Die Hände ziehen in Verlängerung der Unterarme voneinander weg (kein Abwinkeln der Handgelenke!!)
> die Arme öffnen sich zur Seite und werden vom Brustbein getragen
> Achtung: Die Schultern bleiben unten!!
> gut atmen!

Eine mögliche Alternative:
Die sich in die Weite ziehenden Arme virtuell kraftvoll zueinander bewegen

SITZBEIN-SCHAUKEL - Öffnen des Beckenbodens

Im Sitzen:
Die Beine entspannt nach vorne ausstrecken und zur Seite sinken lassen
Eine Hand von außen unter den Sitzbeinhöcker legen
> der Sitzbeinhöcker befindet sich in Höhe der Fingermittelgelenke
> bei Bedarf anstatt der Hand ein Sandsäckchen unter den Sitzbeinhöcker legen
> ein Ball/Igelball eignet sich ggf. auch, um die Faszien des Beckenbodens auszurollen

Das entsprechende Bein sanft nach unten und zur Seite ruhen lassen
> das Knie wird dabei ganz leicht gebeugt
> die Leiste entspannt sich
Der Fuß (Außenkante) der entsprechenden Seite liegt auf dem Boden, schiebt den Körper über Gewichtsverlagerung sanft nach hinten und zieht ihn sanft nach vorne
> der Sitzbeinhöcker schaukelt in der Hand sanft vor und zurück
Mit den Fingerkuppen am weicheren Gewebe des Beckenbodens kleine Impulse geben
> mögliche Verklebungen des Gewebes lösen sich

Den Handteller öffnen und das ganze Gewicht dieser Seite in den Boden sinken lassen
Die Hand einfach unter dem Sitzbeinhöcker wegziehen
> Achtung: Nicht das Gesäß vom Boden abheben!! Muskuläre Spannung!
> der gesamte Beckenboden öffnet sich!

zur anderen Seite wiederholen

ENERGIEKELCH - Ausrichtung des Rückens über die Kraft der Beine

Im Sitzen:
Die Fußsohlen berühren sich vor dem Körper (Winkel im Knie ≥ 90°)
Die Füße liegen auf der Körpermittellinie („Schambeinlinie")
Die Hände auf die Unterschenkel/Fußgelenke legen
Die Ellenbogen sinken leicht geöffnet nach unten
Die Schultern entspannen sich (! Platz für das Brustbein!)
Die Füße sinken zuerst sanft, dann kraftvoll in die Erde hinein
> das Brustbein öffnet sich nach oben

Die Kraft unter den Füßen verdichtet sich: Hebelwirkung
Die Füße „in der Tiefe" (unterirdisch!) in Richtung Schambein ziehen
> das Brustbein bewegt sich nach vorne/oben
> diametrale Bewegung
> vom Schambein aus gesehen vor den Sitzbeinhöckern sitzen
(Kontakt zur Erde: gleichmäßig rechts und links)

Die Hände rotieren
> Unterstützung der Bewegung des Brustbeins nach vorne
> > Die Kraft zum aufrechten Sitzen kommt nur aus den Füßen heraus -

Wichtig: Die Leisten bleiben dabei geöffnet!

Der Kopf sitzt in der vertikalen Integration der Wirbelsäule (in der leichten Diagonale)

GOTTESANBETERIN - Ausrichtung des Rückens über die Kraft der Beine

Im Sitzen:
Beine grätschen: Gleichmäßiges Öffnen der Beine von der Mittellinie aus
Die Füße bleiben dabei in direkter Linie zum Hüftgelenk: > kein Ein-oder Ausdrehen im Hüftgelenk!!!
Die Fersen weit nach vorne in den Raum hinein strecken: Flexen! (Die Fersen heben sich vom Boden ab)
> Dehnen der gesamten rückwärtigen Beinmuskulatur

> Achtung: Kein Strecken des Zehengrundgelenkes! Die Kraftlinie wird ansonsten unterbrochen!!!

An der weit entferntesten Stelle die Fersen in die Erde hinein bewegen
> die Knie beugen sich leicht
> Kontraktion der gesamten rückwärtigen Beinmuskulatur

Dann die Fersen unterirdisch zum Körper ziehen: In Richtung Sitzbeinhöcker
Die Außenseite der Arme an der Innenseite der Beine nach außen bewegen
> das Brustbein bewegt sich nach vorne

Vertikale Integration der Wirbelsäule in der leichten Diagonale

ANMUT - Ausrichtung des Rückens über die Kraft der Arme

Im Sitzen:

Die Beine liegen lang und entspannt am Boden (gleichmäßige Hüftgelenk-öffnung)

Die Knie fallen leicht nach außen

Die Hände schulterbreit, auf einer Linie hinter dem Körper aufsetzen

Die Fingerspitzen zeigen dabei in Richtung Gesäß

Alternativ: Die Fäuste aufstellen (schauen sich an): in Verlängerung des Unterarmes (Kein Abwinkeln im Handgelenk!)

Die Ellenbogen sind entspannt (entriegelt)

Die Hände/die Fäuste bewegen sich sanft nach unten

> dann die Kraft unter den Händen/Fäusten verdichten

> das Brustbein bewegt sich nach vorne

Rotation der Hände (Fäuste) „unterirdisch"

> die Schultern öffnen sich (sie rollen nach oben/hinten/unten)

> die Kraft der Ausrichtung entsteht allein aus den Armen!

Der Bauchnabel sinkt sanft zurück > WICHTIG: Die Leisten entspannen!!!

Der Kopf bleibt integriert, der Kiefer entspannt

TIGER - Kraft und Ausrichtung im Knie-Unterarm-Stütz

Im Knie-Unterarm-Stütz:
Die Knie hüftbreit und die Unterschenkel parallel auf den Boden legen
Die Füße werden in Verlängerung ausgerichtet (Kein Abknicken der Füße nach innen)
Die Hüftgelenke über die Knie aufstellen
Den Bauchnabel sanft in Richtung der Wirbelsäule bewegen
Die Ellenbogen unter die Schultern auf den Boden auflegen
Die Unterarme und die Hände liegen parallel
Die Ohren von den Schultern ziehen: Maximale Distanz
Der Kopf ist in der Wirbelsäule integriert

Von den Zehen bis zu den Knien die Unterschenkel nach unten bewegen
> die Hüftgelenke öffnen sich!

Von den Fingerspitzen bis zu den Ellenbogen die Unterarme nach unten bewegen
> die Schultergelenke öffnen sich!

Die Außenseiten der Unterschenkel und Unterarme kraftvoll „unterirdisch" nach außen bewegen
> gleichmäßige Kraft zwischen den unteren und den oberen Extremitäten
> gleichmäßige Kraft zwischen der rechten und der linken Körperseite

Den Beckenboden anspannen
Der Nacken bleibt entspannt
Gleichmäßiges Atmen, das Kiefergelenk lösen!!
Die Fingerkuppen und die Zehenspitzen/der Spann bewegen sich möglichst die ganze Zeit in die Erde hinein

> > Ausdehnung des Körpers in alle Raum-Richtungen!!

HINGABE

*Im **Knie-Sitz** (mit einem Ball unter dem Gesäß):*

Die Knie liegen parallel auf der Erde, die Füße in Verlängerung (nicht abwinkeln)
Den Oberkörper lang nach vorne ablegen
Die Arme in Verlängerung der Schultern ausstrecken (entspannter Tonus)
Die Hände schulterbreit parallel auf die Erde legen
> Maximale Distanz zwischen Ohren und Schultern
> Die Ellenbogen entspannen

Rotation der Hände (Schultern öffnen)
> Der Rücken wird lang, das Brustbein bewegt sich leicht nach unten/vorn
> die kleinen Finger über die Schultern und Flanken bis ins Becken hinein integrieren

Möglichst beide Hüftgelenke auf eine Höhe bringen
Beide Sitzbeinhöcker befinden sich in einer Linie

Für Länge und Kraft der gesamten Körperrückseite:
Die Füße erst sanft, dann kraftvoll in die Erde hineinbewegen
> kraftvolle Verbindung der Finger mit den Zehen über die ganze Länge der Körperrückseite

Gute Vorbereitung für die Bewegungssequenz „Herzöffnung"

AMELIE - das etwas andere Bauchmuskeltraining

Im Sitzen:

Entspannungsteil:

Die Füße weiter als hüftbreit aufstellen
Die Knie umfassen, sich „reinhängen" und den Oberkörper sanft in beide Richtungen kreisen lassen
> die Bauchmuskeln können sich dabei leicht entspannen

Kraftteil:

Sowohl die Füße als auch die Hände vom Boden lösen, Beine und Arme in die Luft nehmen

> auf beiden Sitzbeinhöcker balancieren
> Sich durch unterschiedliche „Off-Positionen" hindurchbewegen
> Stopp" - in einer „Off-Position" bleiben:
> dabei den Bauchnabel aktiv in Richtung Wirbelsäule bewegen
> die Schultern entspannen
> die Füße und die Hände schütteln (um nicht zu verkrampfen!!)

Die Beine dabei anheben
Gleichmäßig weiteratmen

Spaß haben :)

Entspannungs- und Kraftteil wechseln sich ab!!!

FLEXECK - Längen und Kräftigen des Quadriceps

Knien:

Mit einem Ball oder einem Kissen unter dem Gesäß knien: Die Knie sind nah beieinander
Die Hände schulterbreit, auf einer Linie hinter dem Körper am Boden aufsetzen: Die Fingerspitzen zeigen dabei in Richtung Gesäß

Alternativ: Die Fäuste aufstellen (schauen sich an): in Verlängerung des Unterarmes (Kein Abwinkeln im Handgelenk!)

Die Ellenbogen sind entspannt
Die Hände/die Fäuste bewegen sich sanft nach unten
> dann die Kraft unter den Händen/Fäusten verdichten
> das Brustbein bewegt sich nach vorne

Rotation der Hände (Fäuste) „unterirdisch"
> die Schultern öffnen sich (sie rollen nach oben/hinten/unten)

Den Bauchnabel sanft in Richtung Wirbelsäule bewegen

Die Füße kraftvoll von den Zehen nach unten in die Erde hinein bewegen
> das Becken richtet sich auf!!
> Regulierung der Hüftgelenke (gleichmäßig) über die Füße (Kraft nach unten)

Die Knie „unterirdisch" nach außen bewegen
> Verstärkung der Beckenaufrichtung

Der Kopf bleibt integriert
> Stabilität der Achse in der Diagonale

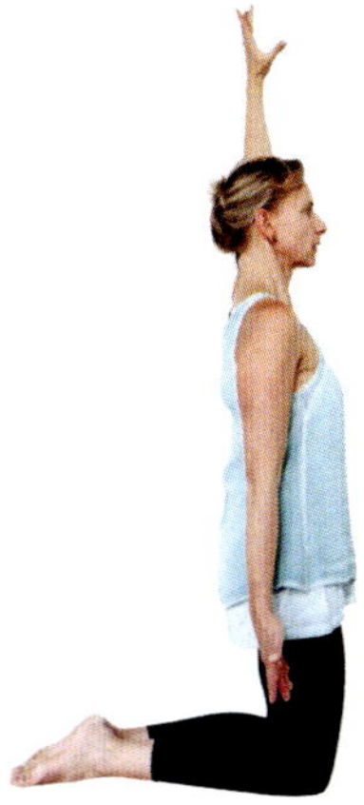

KRAFTECK - Kräftigen und Längen des Quadriceps

Im Kniestand:

Knie möglichst nahe beieinander
Die Füße liegen in Verlängerung der Unterschenkel (Kein Abknicken im Fußgelenk!)
Vertikale Integration der Wirbelsäule

Die Füße kraftvoll in die Erde hinein bewegen
Die Knie „unterirdisch" nach außen bewegen
> das Becken richtet sich auf
> der Oberkörper kommt dabei in eine leichte Schräglage (MIT integrierter Wirbelsäule!!)

Einen Arm nach oben nehmen und ihn kraftvoll virtuell über die Weite nach unten bewegen
Den anderen Arm nach unten nehmen und ihn kraftvoll virtuell über die Weite nach oben bewegen
> die Spannkraft wird von den Fingerspitzen her aufgebaut und spannt über die Arme zur Körpermitte hin!
> Kraft, Länge und Weite im Brustkorb und den Flanken (Intercostal) spür- und sichtbar
> die Schultern bleiben unten!!

Dann den Winkel in den Knien verkleinern
> der Oberkörper lehnt sich dadurch automatisch leicht zurück
> kein Beugen oder Abkippen im Becken

Achtung: Die Schultern bleiben IMMER über oder vor den Hüftgelenken!!!!
> > Schutz vor Hohlkreuz!!

Das Steißbein leicht nach unten (90°) zur Erde senken!!
> je weiter sich der Oberkörper in die Schräglage lehnt (NICHT beugt!!), desto mehr auf die Gegenkraft achten: durch die aufgebaute Spannkraft der Arme und durch die sich in die Erde hineinbewegenden Füße/Spann!!
> > Schutz vor Hohlkreuz!!

zur anderen Seite wiederholen

DREIECK - Längen der Flanken (insbesondere Intercostal!!)

Im Sitzen:

Ein Bein wird zur Seite ausgestreckt
Das andere Bein liegt angewinkelt vor dem Körper
Der Fuß liegt auf dem Kreuzpunkt: Schambein / ausgestrecktes Knie
> Der Winkel im Knie beträgt ≥ 90°

Jetzt den Fuß kraftvoll nach unten in die Erde hineinbewegen; die Zehen „unterirdisch" nach außen zur Seite
> das Becken flext: zuerst wird der Kontakt mit dem Sitzbeinhöcker des angewinkelten Beines spürbar

Die Ferse des gestreckten Beines weit nach vorne in den Raum strecken (hebt sich), dann kraftvoll in die Erde nach unten und „unterirdisch" zum Körper (zum Sitzbein) ziehen
> das Becken flext sich (Kontakt beider Sitzbeinhöcker spürbar!)
> das Knie beugt sich leicht

Die Großzehe des gestreckten Beines umfassen
Den Ellenbogen von innen gegen das Knie bewegen (ggf. Ferse „unterirdisch" näher zum Körper ziehen!)
> das Brustbein bewegt sich nach vorne, der Brustkorb weitet sich
Die Zehen des zur Seite gestreckten Beines wollen sich strecken > ziehen den Oberkörper lang zur Seite
> die (entgegengesetzte) Flanke dehnt sich

Die freie Hand sanft auf das angewinkelte Knie legen und rotieren
> die Schulter öffnet sich!!
Den Bauchnabel sanft in Richtung Wirbelsäule bewegen

> > ACHTUNG: Das Kreuzbein stabilisieren!!
Der Kopf sitzt entspannt auf der Wirbelsäule
Jetzt in die gedehnte Flanke zurückziehen (Zehen ziehen immer noch den Oberkörper zu sich hin = Gegenbewegung): Kontraktion der Flanke
> Länge entsteht!!
Achtung: Der Oberkörper bleibt aufrecht und fällt dabei NICHT nach vorne auf den Bauch!!

zur anderen Seite wiederholen

BEINWIEGE - Längen des Gluteus: Flexibilität

Im Sitzen:

Ein Bein liegt vor dem Körper angewinkelt (Knie ≥ 90°) auf den Boden
> der Fuß liegt auf der Mittellinie
> ACHSE! Die Schambein-Bauchnabel-Brustbein-Linie richtet sich über dem Fuß aus

Den Fuß kraftvoll nach unten in die Erde hineinbewegen; dann die Zehen „unterirdisch" nach außen zur Seite bewegen
> Flexen des Beckens

Das andere Bein angewinkelt vor dem Körper nach oben anheben: Die Hände fassen unter den Fuß und heben das Bein an
> Achtung: Das Außenband des Fußes nicht überstrecken!!

Das getragene Bein zieht nach vorne (auch das Knie)
Der Fuß bewegt sich kraftvoll in die Hände, die Hände bewegen sich in den Fuß
> dadurch wird der Oberkörper in die Achse gezogen!
Die Mittellinie wird immer noch durch den am Boden liegenden Fuß angezeigt! KEIN Verdrehen!!
> Aufrichtung der Vertikalen über den Mittelpunkt
> auf beiden Sitzbeinhöckern sitzen!

Achtung: Die Schultern werden zur Seite/nach unten geöffnet
Das Brustbein strahlt nach vorne
Den Bauchnabel sanft in Richtung Wirbelsäule bewegen
Das getragene Bein zieht weiter nach vorne/oben: Die Gegenkraft der Arme zieht den Rumpf in der Achse und weiter nach oben

zur anderen Seite wiederholen

SAMURAI - Längen des Gluteus: Stabilität und Kraft

Im Knie-Fuß-Stand

Das hintere Bein kniet: Der Unterschenkel/Fuß liegt in Verlängerung des Oberschenkels/Knies
> Hüfte - Knie - Fuß - Zehen bilden eine Gerade

Den vorderen Fuß im Ausfallschritt hüftbreit aufstellen: Der Winkel Unterschenkel-Erde beträgt 90°
> Hüfte - Knie - Fuß - Zehen bilden eine Gerade

Den hinteren Fuß kraftvoll nach unten in die Erde hinein bewegen
> Das Becken richtet sich auf
Das hintere Knie „unterirdisch" nach außen bewegen
> Die Aufrichtung des Beckens wird verstärkt

Den vorderen Fuß kraftvoll nach unten in die Erde hineinbewegen und nach innen rotieren
> Unterstützung der Beckenaufrichtung

Das vordere Knie zurück ins Hüftgelenk bewegen
> Stabilisierung des Beckens (klare Kraftlinien!)
Die Arme: Virtuelle Kraftimpulse der Arme (siehe S. 156)
Die reale wie auch die virtuellen Kräfte werden gleichzeitig ausgeführt!!

> > Kraft und Weite im Oberkörper-/Arm-Bereich
> > Länge und Stabilität durch die vertikale Integration und die Innenrotation der Fersen!!

Gleichmäßiges Atmen!! Das Kiefergelenk und die Lippen sind möglichst entspannt!

Jetzt den Winkel im vorderen Knie < 90° verringern und den hinteren Fuß noch kraftvoller in die Erde hineinbewegen! Gleichmäßige Kraftverteilung!
> In der gesamten Achse nach vorne lehnen!!!

> > ACHTUNG: Die ACHSE BEIBEHALTEN!! (kein nach Vorne- Beugen des Oberkörpers > Bruch in der Kraftlinie!!)

zur anderen Seite wiederholen

PSOAS-LÄNGUNG - Entlastung des Rückens durch die Hebelwirkung

Im Sitzen:

Ein Bein liegt lang am Boden ausgestreckt
Den Fuß des anderen Beines aufstellen und nahe zum Gesäß ziehen
Das angewinkelte Knie umfassen
Das Kinn sanft zur Brust sinken lassen, den Bauchnabel nach hinten entspannen, die Arme längen
> „Abhängen"

Das Knie kräftig in die Hände hinein schieben, während sich der Bauchnabel „zur Erde ablegt"!!
> > ACHTUNG: Nicht die Hände zum Knie ziehen!!!
> Hebelwirkung „ Keine extra Kraftanstrengung
> Der Psoas wird aktiv gelängt!!

Im Liegen: lang ausstrecken

Dann das gleiche Knie in Richtung Brust anwinkeln und von unten (alternativ: oben) umfassen
Das Knie zieht nach oben, bis die Arme lang sind und sich die Schultern von der Erde abheben
Jetzt den Kopf aktiv heben und das Kinn zur Brust sinken lassen
Die Schultern möglichst entspannen
Die Arme bleiben lang (NICHT durchgedrückt)!!
> KEINE Unterbrechung der Kraftlinie!!!

Der Fuß bewegt sich auf dem direktesten Weg nach unten zur Erde
> Überwindung des Schwerpunktes!
Der Fuß zieht nun am Boden entlang weiter nach vorne zum Fuß des ausgestreckten Beines

Die Arme bleiben die ganze Zeit über lang
> Keine Unterbrechung der Kraftlinie!!!
> > Hebel

Entlastung der muskulären Kraft: Entspannung pur für den Rücken!!

SPHINX

In der Bauchlage:

Die Unterarme liegen parallel neben den Körper auf dem Boden
Die Handinnenflächen zeigen zur Erde (liegen in etwa neben den Schultern)
Die Ellenbogen bleiben möglichst im Kontakt mit dem Boden
Die Nasenspitze berührt ganz leicht den Boden
> der Nacken ist lang

Die Beine/Füße zusammenbringen
Die Füße ziehen lang nach hinten
> die Leisten öffnen sich

Am weit entferntesten Punkt die Füße (Fußrücken) kraftvoll nach unten in die Erde hineinbewegen
> bis eine Kraft in der Körpermitte spürbar wird: Spannkraft in der Front
> > diese Kraft schützt den Rücken vor einem Hohlkreuz!

Erst dann rotieren die Hände
> die Schultern öffnen zur Seite, nach oben (Raumebene!) und nach hinten
Die Hände ziehen unterirdisch in Richtung Körper
> das Brustbein hebt sich leicht und zieht nach vorne!! *Eine diametrale Bewegung entsteht!!*

> > Bogenspannung vs. Hohlkreuz!!

Die Kraft zum Aufrichten des Oberkörpers kommt in aller erster Linie aus den Beinen!

LÄNGEN DES OBERSCHENKELS

In der Bauchlage:

Ein Arm liegt entspannt unter dem Kopf
Der Kopf schaut zur Seite und die Nasenspitze zeigt in Richtung Füße
> langer Nacken
Die Knie bleiben nebeneinander liegen

Einen Fuß mit der Hand umfassen und in Richtung Gesäß ziehen
> Dehnen des Oberschenkels

Den Ellenbogen leicht beugen
Das Becken bleibt auf der Erde!!!
Jetzt den Fuß gleichzeitig kraftvoll in die Hand hinein bewegen
> Kontraktion des Oberschenkels
Gleichzeitigkeit beider Bewegungsrichtungen:
> Fuß zum Gesäß UND Fuß in die Hand hinein bewegen
> > Längen des Oberschenkels!

Gleichmäßiges Atmen!
Die Gesichtsmuskeln entspannen

Diese Bewegungssequenz lässt sich bei geschulter Körperwahrnehmung auch im Stand ausführen!

zur anderen Seite wiederholen

BECKENSCHAUKEL

In Rückenlage:

Lang ausgestreckt am Boden liegen
Die Füße parallel hüftbreit aufstellen, nicht zu nahe zum Gesäß
> die Leisten können sich öffnen!!

Die Arme liegen neben dem Körper, die Hände können je nach Wunsch auf den Beckenkamm (iliac crest) oder auf den Boden aufgelegt werden

Die Füße bewegen sich sanft nach unten in die Erde hinein - Wurzeln!
Die Zehen bleiben entspannt auf der Erde

Jetzt rotieren die Fersen nach innen
> das Becken rollt in Richtung Lendenwirbelsäule
> dabei ausatmen

Jetzt rotieren die Fersen nach außen
> das Becken rollt zurück in Richtung Steißbein
> dabei einatmen

Das Vor-und Zurückrollen des Beckens durch den Impuls der Rotation der Fersen
> auf die natürliche Atmung achten!! (wie oben beschrieben)

vielfach wiederholen

Alternativ:
Diese Bewegungssequenz kann auch an einer Wand lehnend im Stand ausgeführt werden!!

KRÄFTIGUNG DER RÜCKENMUSKULATUR

- Vertiefung der Atmung

In Rückenlage:

Lang ausgestreckt am Boden liegen
Die Füße parallel hüftbreit aufstellen, nicht zu nahe zum Gesäß
> die Leisten können sich öffnen!!
Die Arme liegen relativ nahe neben dem Körper, die Handinnenflächen zeigen nach unten auf die Erde, die Fingerspitzen in Richtung Füße

Die Füße bewegen sich sanft nach unten in die Erde hinein - Wurzeln!
Die Zehen bleiben entspannt auf der Erde

Die Fersen rotieren nach außen
> das Becken rollt in Richtung Steißbein
Die Finger ziehen so weit es geht in Richtung Füße und bleiben dort liegen

Jetzt rotieren die Fersen nach innen
> das Becken rollt in Richtung Lendenwirbelsäule
Die Fersen bleiben nach innen rotierend, die Lendenwirbelsäule bleibt im Kontakt mit dem Boden
Die Arme bewegen sich jetzt von den Fingerspitzen, Handinnenflächen, Unterarmen, Oberarmen bis zu den Schultern kraftvoll nach unten in die Erde hinein
> jeder einzelne Finger bewegt sich nach unten in die Erde hinein
> KEIN verkrampftes Zusammenziehen der Hand!

Die Schultern bewegen sich in die Erde
> Spannkraft in den Flanken
> die Rückenmuskeln werden lang und gekräftigt!!
>> eine vertiefte Ausatmung entsteht

Gleichmäßiges Atmen!!
Gleichmäßig rechts und links Kraft ausüben!!

Nach einer Weile rotieren die Fersen wieder nach außen
> Lösen der Spannkraft!!
>> eine vertiefte Einatmung entsteht

einige Male wiederholen

STABILISIERUNG DES BECKENS

In Rückenlage:

Lang ausgestreckt am Boden liegen
Die Füße parallel hüftbreit aufstellen, nicht zu nahe zum Gesäß
> die Leisten können sich öffnen!!
Die Arme liegen relativ nahe neben dem Körper, die Handinnenflächen zeigen nach unten auf die Erde, die Fingerspitzen in Richtung Füße

Die Füße bewegen sich sanft nach unten in die Erde hinein - Wurzeln!
Die Zehen bleiben entspannt auf der Erde
Die Fersen rotieren nach innen
> das Becken rollt in Richtung Lendenwirbelsäule

Die Fersen bleiben nach innen rotierend, die Lendenwirbelsäule bleibt im Kontakt mit dem Boden
Die Füße bewegen sich jetzt kraftvoll in die Erde hinein
> das Becken hebt sich

Die Fersen rotieren weiterhin nach innen
> das Becken richtet sich auf

Das Becken rollt in Richtung Schultern aufwärts
> die Füße, Knie und Schultern bilden ein Dreieck

Die Hände bewegen sich nach unten in die Erde hinein und rotieren „unterirdisch"
> die Schultern öffnen sich
> das Brustbein hebt sich
>> die Halswirbelsäule wird geschützt
Den Beckenboden aktiv kontrahieren (zusammenziehen)
Die Zehen bleiben die ganz Zeit über lang und entspannt auf der Erde

Jetzt die Rotation der Hände lösen und langsam wieder Wirbel für Wirbel abrollen bis die Lendenwirbelsäule die Erde berührt
> Rotation der Fersen nach außen

Danach in eine Ruhelage kommen und entspannen

LITERATURVERZEICHNIS

Bähr, Mathias u. Frotscher, Michael
Neurologisch-topische Diagnostik, Thieme Verlag 2014, ISBN: 9783135358109

Bainbridge Cohen, Bonnie
Sensing, Feeling, Aktion. Experimental Anatomy of Body-Mind Centering, 1993, ISBN 0937645036

Brinckmann, Jürgen u. Notbohm, Holger u. Müller, P.K.
Collagen: Primer in Structure, Processing and Assembly Topics in Current Chemistry, 2005. Springer-Verlag, ISBN 9783540232728

Carter, Rita
Das Gehirn, Anatomie, Sinneswahrnehmung, Gedächtnis, Bewusstsein, Störungen, 2010, ISBN 9783831017300

Feldenkrais, Moshé
Bewusstheit durch Bewegung: Der aufrechte Gang, Suhrkamp 1978, ISBN 3518369296

Gehrke, Thorsten
Sport Anatomie, 2009. Nicol-Verlag, ISBN 97838868200133

Hartley, Linda
Wisdom of the Body Moving - An Introduction to BMC, 1994, ISBN 155643174

Juhan, Deane
Job's Body, A Handbook for Bodywork, 1987 ISBN 0882681346,
Körperarbeit, Droemer Knaur 1997, ISBN 3426760045

Kapandji, Adalbert I.
Funktionelle Anatomie der Gelenke. Georg Thieme Verlag, 2009, ISBN 3131422157

Knaster, Mirka
Discovering the Body's Wisdom, Bantam Books, 1996, ISBN 0553373277

Kapandji, Adalbert
Funktionelle Anatomie der Gelenke, Thieme Georg Verlag, 2016, ISBN 9783131422163

Lippert, Herbert
Lehrbuch Anatomie, Urban & Schwarzenberg 1993, ISBN 354110063X

Linß W., Fanghänel J.
Histologie: Zytologie, allgemeine Histologie, mikroskopische Anatomie. Walter de Gruyter1998, ISBN 3110140322

Lüllmann-Rauch, Renate
Taschenlehrbuch Histologie. Verlag Thieme, 2009, ISBN 9783131292438

Myers, Thomas W.
Anatomy Trains - Myofasziale Leitbahnen, Urban & Fischer Verlag 2010, ISBN 9783437567315

Moore, Keith L.
Embryologie, Lehrbuch und Atlas der Entwicklungsgeschichte des Menschen, 1990, Schattauer, ISBN 3794513568

Niestroj, Irmgard
Praxis der Orthomolekularen Medizin. Kapitel 4-9, 93-175 (11.2). Hippokrates Verlag GmbH, Stuttgart 2000

Rohen, Johannes W. u. Yokochi, Chihiro
Color Atlas Of Anatomy, 1992, ISBN 0896402282

Schultz, R.Louis u. Feitis Rosmary
The Endless Web: Fascial Anatomy and Physical Reality, North Atlantic Books 1996, ISBN 9781556432286

Servan-Schreiber, David
Die Neue Medizin der Emotionen. Stress, Angst, Depression: Gesund werden ohne Medikamente, 2006. Goldmann Verlag ISBN 9783442153534

Smith, Toni
Der menschliche Körper. Aufbau, Funktionen, Störungen, Bechtermünz Verlag 1999, ISBN 3828918433

Todd, Mabel
Der Körper denkt mit, Anatomie als Ausdruck dynamischer Kräfte, Verlag Hans Huber 2009, ISBN 9783456847474

Zeitler, Peggy
Erinnerungen an Elsa Gindler, aus den Schriften der Sensory Awareness Foundation, Unidruck München, 1991

BUCHEMPFEHLUNGEN ZU „DIE GRUNDELEMENTE" (SEITE 51)

Burgerstein, Uli P. u. Zimmermann, Michael u. Schurgast, Hugo
Handbuch Nährstoffe: Vorbeugen und heilen durch ausgewogene Ernährung. Trias 2012, ISBN 9783830460718

Gröber, Uwe
Mikronährstoffe: Metabolic Tuning-Prävention-Therapie. Wissenschaftliche Verlagsgesellschaft Stuttgart 2010, ISBN 9783804726154

Kuklinski, Bodo u. Schemionek, Anja
Mitochondirentherapie - die Alternative, Aurum 2014, ISBN 9783899017649

Niestroij, Irmard
Praxis der Orthomolekularen Medizin: Physiologische Grundlagen, Therapie mit Mikro-Nährstoffen, Hippokrates 2001, ISBN: 9783777314709

LITERATURNACHWEISE

[1] aus „The Endless Web",
R. Louis Schultz & Rosemary Feitis
[2] Juhan S. 169
[3] Juhan S. 206
[4] Juhan S. 205
[5] Juhan S. 205
[6] Juhan S. 206
[7] Juhan S. 170-171
[8] Juhan S. 174
[9] Niestroj I, Kapitel 4-9, S. 93-175
[10] Juhan S. 202
[11] Juhan S. 181f.
[12] aus Brinckmann, Notbohm, Müller
[13] Juhan S. 186
[14] Juhan S. 185
[15] Juhan S. 198
[16] Juhan S. 198
[17] Schultz, Feitis S. 115
[18] Hartley S. 28)
[19] Bähr,Mathias et al.: 2014
Neurologisch-topische Diagnostik
[20] siehe Spektrum.de/
Lexikon der Neurowissenschaft
[21]Smith S. 33
[22] Linß, Fanghänel S. 65–68
[23] Renate Lüllmann-Rauch S. 162–165
[24] Gehrke S. 16
[25] siehe The Buckminster Fuller Institue: www.
bfi.org
[26] Juhan S. 195f.
[27] Juhan S. 197
[28] Juhan, S. 163
[29] Juhan S. 194/195
[30] aus Taylor, R.B. „Bioenergetics of Man" in
Academy of Applied Osteopathy Yearbook,
1958
[31] Juhan S. 176f.
[32] Schultz, Feitis S. 14
[33] Juhan S. 255f.
[34] Juhan S. 250
[35] Juhan S. 287-291, 393
[36] Juhan S. 292
[37] Smith, S. 54
[38] Zitat aus Todd – The Thinking Body, 1937
[39] Smith S. 66f.
[40] Moore S. 422, 436f.
[41] Carter S. 64-65
[42] Savarin-Schreiber S. 35-36
[43] Smith S. 76-77
[44] Moore S.450
[45] Juhan S. 486
[46] Savarin-Schreiber S. 38
[47] Albert Einstein in Savarin-Schreiber S. 23
[48] Smith S. 78
[49] Savarin-Schreiber S. 39/45-46
[50] Smith S. 63
[51] Smith S. 78
[52] Juhan S. 413-415
[53] Juhan S. 407
[54] Juhan S. 409
[55] Gerke S. 46
[56] in Lexikon der Biologie www.spectrum.de
[57] Juhan S. 409-411
[58] Juhan S. 449
[59] Juhan S. 486
[60] Juhan S. 415
[61] Juhan S. 413
[62] Juhan S. 416/417
[63] Juhan S. 421/422
[64] Juhan S. 446
[65] Juhan S. 420
[66] aus „Körperarbeit:
Die Soma-Psyche-Verbindung", Deane Juhan
[67] Carter S. 62-63
[68] Lippert S. 488f.
[69] Zeitler, 1991, in Elsa Gindler (1885 – 1961)
[70] Lippert S. 101f.
[71] Todd S. 81f.
[72] Smith S. 38f.
[73] Todd S. 91-94
[74] Juhan S. 239
[75] Juhan S. 241

[76] *Smith S. 39*
[77] *Lippert S. 106*
[78] *Gehrke S. 70*
[79] *Moore S. 389*
[80] *Smith S. 38, 68-71*
[81] *Ernst Bloch, deutscher Philosoph (1885-1977)*
[82] *Todd S. 51*
[83] *Todd S. 107*
[84] *Todd S. 107-109*
[85] *Todd S. 42*
[86] *Todd S. 43*
[87] *Todd S. 110*
[88] *Todd S. 109*
[89] *Schultz, Feitis S. 34/35*
[90] *Gehrke S. 250*
[91] *Todd S. 185*
[92] *Schultz, Feitis S. 36*
[93] *Oliver W. Holmes (Holmes in CMA Journal/January 24, 1976/VOL. 114 unter www.ncbi.nlm.nih.gov*
[94] *Schultz, Feitis S. 40*
[95] *Schultz, Feitis S. 54 – 79*
[96] *Thomas W. Myers S. 91-249*
[97] *Schultz, Feitis S. 6*
[98] *Moore S. 56*
[99] *Lewis Wolpert, *1929, Entwicklungsbiologe*
[100] *Moore S. 59, 389*
[101] *Moore S. 58-60*
[102] *Moore S. 58, 384f.*
[103] *Schultz, Feitis S. 11*
[104] *Hartley S. 24*
[105] *Schultz, Feitis S. 11-12*
[106] *Schultz, Feitis S. 4*
[107] *Schultz, Feitis S. 5*
[108] *Schultz, Feitis S. 12*
[109] *Schultz, Feitis S. 15*
[110] *Schultz, Feitis S. 14*
[111] *Moore S. 384f.*
[112] *Schultz, Feitis S.14*
[113] *Smith S. 53*
[114] *Schultz, Feitis S. 14f.*
[115] *Schultz, Feitis S. 16*
[116] *siehe www.bodymindcentering.com*
[117] *Schultz, Feitis S. 25*
[118] *in www.bmbf.de*
[119] *Schultz, Feitis S. 24*
[120] *Lippert S. 733*
[121] *Kapandji: S. 176*
[122] *Hartley S. 45/46*
[123] *Linda Hartley S. 45f.*
[124] *Linda Hartley S. 49*
[125] *Moshé Feldenkrais aus „Bewusstheit durch Bewegung"*

ZU MIR : GABRIELA EIBICH

Als 68er Jahrgang habe ich in meiner Kindheit und Jugend vielfältige klassische orthopädische Behandlungen durchlaufen, die mir nicht zufriedenstellend und vor allem nicht nachhaltig bei meinen immer wiederkehrenden Gelenkbeschwerden und Schmerzthemen weiterhelfen konnten. Deshalb begab ich mich eigenständig auf die Suche nach einer Therapie- und Bewegungsform, auf der mir unterschiedlichste Körper- und Wahrnehmungsschulungen, ganzheitliche Ansätze und Energiearbeit an Land und im Wasser begegneten.

So habe ich als Diplom Pädagogin meine Kompetenzen erweitert und bin zudem seit 1994 *Integrative Tanzpädagogin (DiT)*. Des Weiteren bin ich in *Watsu* (1996) und *Healing Dance* (2008) in Kalifornien und Florida ausgebildet.
Den Einfluss der aquatischen Körperarbeit finden wir in Faszien-Rotation unter anderem im Spiel zwischen Schwerkraft und Auftrieb.

Meine Welt wurde zunehmend die des Tanzes, der Improvisation und Kommunikation, der experimentellen Anatomie, des Floatens, Berührens und Wahrnehmens.
Ich arbeitete mit Therapeuten, Tänzern, Musikern und Schauspielern, lernte und lehrte international.
Meine Reise führte mich schließlich nach Portugal, wo ich das Institut *„Bodywave: somatic awareness around the elements"* gründete. Hier kam ich Mitte der 90er Jahre u.a. in Kontakt mit der Systemischen Aufstellungsarbeit, die mich nicht nur tief berührte, sondern auch meinem inhärenten Körperwissen sofort vertraut war und um eine Dimension erweiterte.

Seit 2005 bin ich zurück zu meinen Wurzeln in Deutschland und habe meine Erfahrungen durch weitere Fort- und Ausbildungen als Coach (DGfC), in der Systemischen Beratung (asb), in multi-sensorischen Verfahren wie PEP nach Dr. Bohne, im Triadischen Prinzip und in Systemischen Aufstellungen mit der Erfahrung der Transparenten Kommunikation nach T. Hübl und der Polyvagal-Theorie nach St. Porges vertieft.

So entstand schließlich seit 1993 nach und nach meine eigene Methode, die als Synthese die mir am Herzen liegenden Bereiche des Systemischen und der Bewegungsarbeit optimal in Einklang bringt. *Die Essenz des Ganzen mündete in der Faszien-Rotation nach Eibich.*

Zur Zeit lebe ich in der Region von Hannover, arbeite in meiner Praxis als Heilpraktikerin für Psychotherapie und Systemisches Coaching in der Natur und unterrichte die Kunst der Faszien-Rotation international.

KONTAKTINFORMATION

Ausbildung, Seminare und Einzelsitzung in Faszien-Rotation nach Eibich:
www.gabriela-eibich.de